Pouvez-vous devenir ou rester français ?

Jacques Marseille

Avec la collaboration de Jean-Rémi Clausse

Pouvez-vous devenir ou rester français ?

Albin Michel

« Le remède, il n'y en a qu'un, donner aux Français quelque chose à aimer. Et leur donner d'abord à aimer la France, concevoir la réalité correspondant au nom de France de telle manière que dans sa vérité, elle puisse être aimée avec toute l'âme. »

Simone Weil, *Enracinement*, 1949.

Avant-propos

Avouons-le tout de go, nous aimons la France. Comme Jules Michelet qui écrivait en 1846 dans *Le Peuple* : « J'aime la France parce qu'elle est la France, et aussi parce que c'est le pays de ceux que j'aime et que j'ai aimés. » Comme Fernand Braudel qui, en 1986, ajoutait : « Je le dis une fois pour toutes : j'aime la France avec la même passion, exigeante et compliquée, que Jules Michelet. Sans distinguer entre ses vertus et ses défauts, entre ce que je préfère et ce que j'accepte moins facilement. »

Nulle arrogance dans cette « déclaration d'amour ». Nulle volonté de faire valider notre carte d'« identité nationale ». Nulle intention d'en rajouter dans le débat en cours. Mais la simple conviction que de faire savoir qui nous sommes et d'où nous venons est le meilleur atout pour redonner le moral aux Français et le moyen privilégié d'intégrer dans la communauté nationale ceux qui désirent le devenir. Car la question qui se pose et que posent les 150 questions auxquelles nous invitons les lecteurs à répondre est bien de savoir ce que veut dire « être Français » et de recenser l'ensemble des références qui unissent cette communauté singulière. Certes, on pourra penser que ce bric-à-brac est particulièrement hétéroclite. Qu'y a-t-il de commun entre la 2 CV et *La Marseillaise*, le pastis et *Le Serment du Jeu de Paume*, *La Grande Vadrouille* et le général de Gaulle, Jean Jaurès et le champagne, le bac et la tour Eiffel, Clovis et le RMI, la galanterie et Verdun ? Tout simplement ce qu'on appelle en termes savants des « lieux de mémoire » : des fêtes et des emblèmes, des monuments et des commémorations, des grands hommes et des grands crus, des expressions de la langue et des coutumes populaires. Tout ce qui fait l'« âme » d'un peuple et d'une nation. Du plus humble au plus grandiose.

C'est toujours Fernand Braudel qui écrivait : « Une nation ne peut être qu'au prix de se chercher elle-même sans fin, de se transformer dans le sens de son évolution logique, de s'opposer à autrui sans défaillance, de s'identifier au meilleur, à l'essentiel de soi, conséquemment de se reconnaître au vu d'images de marque, de mots de passe connus des initiés (que ceux-ci soient une élite ou la masse entière du pays, ce qui n'est pas toujours le cas). Se connaître à mille tests, croyances, discours, alibis, vaste inconscient sans rivages, obscures confluences, idéologies, mythes, fantasmes. » Ainsi s'est effectivement constituée au cours de notre histoire l'« âme de la France ». Un pays qui, en dépit du fait qu'il ne représente que 1 % de la population mondiale, accumule des atouts qui devraient réjouir tous les Français. Strabon, qui vivait à l'époque du Christ, avait déjà eu l'attention attirée par ce pays dont il vantait « la correspondance qui s'y montre sous le rapport des fleuves et de la mer, de la mer intérieure et de l'océan », ce qu'il appelait « une prévision intelligente », un véritable cadeau des dieux. Sans aller jusqu'à cultiver cette arrogance qui reste notre principal défaut, force est toutefois de reconnaître que l'Hexagone allait bien devenir un élément du catéchisme républicain, le symbole d'un pays qui s'est voulu équilibré et élégant, alors qu'il n'a jamais été qu'un agrégat de peuples désunis.

C'est vouloir dire que l'identité nationale est largement une construction, mais une construction qui est aussi un capital partagé. Dans son célèbre discours de 1882, Ernest Renan écrivait : « Une nation est une âme, un principe spirituel. Deux choses qui, à vrai dire, n'en font qu'une, constituent cette âme, ce principe spirituel. L'une est dans le passé, l'autre dans le présent. L'une est la possession en commun d'un riche legs de souvenirs ; l'autre est le consentement actuel, le désir de vivre ensemble, la volonté de continuer l'héritage qu'on a reçu indivis. »

D'une certaine manière, ce cahier de jeux veut ressusciter ces vieux manuels de l'école primaire et ce *Tour de France par deux enfants* qui ont été de véritables machines à fabriquer des Français et à intégrer ces nombreuses vagues d'étrangers qui font la richesse de la nation France. Il s'inspire aussi directement de ce qui se fait de plus en plus ailleurs, en particulier au Canada. « Félicitations ! Nous comprenons qu'il faut du courage pour quitter sa terre natale et s'établir dans un nouveau pays. Devenir citoyen canadien couronne cette démarche et marque le début d'une nouvelle étape de votre vie. Pour devenir citoyen canadien, vous devez parler anglais ou français, apprendre les procédures de vote, l'histoire et la géographie du Canada, et connaître les droits et les responsabilités se rattachant à la citoyenneté. » Telles sont les premières lignes de *Regard sur le Canada*, un livret imposé à tout candidat à la citoyenneté canadienne. Car si les citoyens ont des « droits », est-il précisé, ils ont aussi des « responsabilités ». Ils doivent respecter les lois de leur pays, de même que les droits et les libertés d'autrui. Ils doivent également être prêts à s'impliquer dans leur collectivité afin de contribuer à faire du Canada un « meilleur pays ». Acquérir la citoyenneté d'un pays devrait se mériter. S'impliquer dans la vie collective du pays dont on est citoyen devrait se cultiver. Tel est le message implicite délivré par ce programme.

Un programme qui manifestement a réussi puisque le Canada, qui accueille depuis longtemps des vagues importantes d'immigrés, a réussi à bâtir une société pacifique et tolérante classée aux tout premiers rangs du monde dans le palmarès du « bien-être » des nations. À la question qui leur est posée de savoir s'ils éprouvent un sentiment d'appartenance « très fort » ou « plus ou moins fort » envers leur pays, 85 % des Canadiens répondent d'ailleurs « oui ».

Un pourcentage qui sous-tend l'ambition, sans doute démesurée, de cet ouvrage : faire mieux connaître la France pour mieux la faire aimer et faire adhérer le plus grand nombre aux valeurs que son histoire a forgées. À vous de répondre avec humour et sérieux à ces questions qui ne sont jamais que des questions d'« instruction civique ».

À vous de savoir si les valeurs de liberté, d'égalité et de fraternité inscrites sur le fronton de nos mairies ne sont pas que des mots et s'appuient sur un ensemble de souvenirs partagés. « Les vrais hommes de progrès, écrivait encore Ernest Renan, sont ceux qui ont pour point de départ un respect profond du passé. »

Si vous obtenez 75 bonnes réponses,
on vous décernera le brevet de citoyen « moyen ».

Si vous obtenez entre 76 et 100 bonnes réponses,
vous obtiendrez la mention « citoyen honorable ».

Si vous obtenez plus de 100 bonnes réponses,
vous méritez le titre de « citoyen de cœur et d'honneur ».

Questions pour mesurer vos connaissances

Histoire

1 Où Jules César a-t-il vaincu Vercingétorix en 52 avant J.-C. ?

2 Ce légionnaire romain qui partagea son manteau avec un pauvre au IVe siècle est l'un des saints fondateurs du christianisme en France. Quel est son nom ?

- Saint Denis
- Saint Martin
- Saint Jacques

3 Baptisé en 496 par Remi, l'évêque de Reims, il est considéré comme le premier roi de France. Quel est son nom ?

4 Dans quelle basilique les rois de France étaient-ils enterrés ?

. . . .

5 Quel pays Guillaume le Conquérant a-t-il conquis en 1066 ?

- L'Angleterre
- L'Irlande
- La Sicile

6 Ce collège fondé en 1257 par le confesseur de saint Louis est aujourd'hui l'une des universités les plus célèbres du monde. Quel est son nom ?

. . . .

7 Quelle est la bataille qui opposa en 1214 l'armée de Philippe Auguste aux Anglais et aux Flamands commandés par l'empereur Othon IV ?

. . . .

8 Plus connu sous le nom de saint Louis, quel est son numéro dans la dynastie des rois de France ?

- Louis VII
- Louis VIII
- Louis IX

9 Quelle héroïne fut-elle surnommée la « Pucelle d'Orléans » ?

. . . .

10 Même les cancres de France connaissent cette bataille qui eut lieu en 1515. Quelle est son nom ?

. . . .

11 Dans quelle ville François Ier a-t-il promulgué en 1539 l'ordonnance rendant obligatoire l'usage de la langue française dans les textes officiels ?

- Villers-Cotterêts
- Soissons
- Nantes

12 Le 24 août 1572, les chefs protestants réunis à Paris furent massacrés par les catholiques. Sous quel nom est connu ce massacre ?

13 Assassiné en 1610, ce souverain incarne une France transformée en pays de cocagne où la poule au pot devait être servie à table chaque dimanche. Quel est son nom ?

14 Comment Louis XIV se faisait-il appeler par ses courtisans ?

15 À quel événement est associé le nom du marquis de La Fayette ?

- L'indépendance des États-Unis d'Amérique
- La prise de la Bastille
- La bataille de Waterloo

16 Quel nom donnait-on aux révolutionnaires parisiens pendant la Révolution ?

- Les sans-culottes
- Les passe-muraille
- Les rabat-joie

17 Quel est l'événement qui s'est déroulé durant la nuit du 4 août 1789 ?

- L'abolition des privilèges
- La formation de l'Assemblée nationale
- La première ascension en montgolfière

18 Cette victoire française du 20 septembre 1792 marque en même temps la naissance de la Ire République française. Quel est son nom ?

- Jemmapes
- Valmy
- Rivoli

19 Quel département a laissé son nom à une guerre qui enflamma tout l'ouest de la France pendant la Révolution ?

. . . .

20 Général à vingt-six ans, il est couronné empereur des Français le 2 décembre 1804 à Notre-Dame de Paris. Quel est son nom ?

. . . .

21 Remportée sur les Russes et les Autrichiens le 2 décembre 1805, cette victoire est considérée comme un modèle de stratégie militaire. Quel est son nom ?

. . . .

22 Quel pays méditerranéen fut conquis par la France en 1830 et arracha son indépendance en 1962 ?

- L'Algérie
- Le Maroc
- La Tunisie

23 En quelle année le suffrage universel masculin a-t-il été instauré ?

- 1830
- 1848
- 1851

24 Qui est à l'origine de l'abolition de l'esclavage dans les colonies françaises en 1848 ?

- Victor Hugo
- Victor Schoelcher
- Lamartine

25 Où Bernadette Soubirous a-t-elle vu apparaître la Vierge Marie ?

- Lisieux
- Lourdes
- Vézelay

26 Comment appelait-on les Parisiens qui se sont révoltés en 1871 et ont été massacrés pendant la Semaine sanglante ?

27 Pourquoi tant de rues et de bâtiments publics portent-ils le nom de Jules Ferry ?

- Parce qu'il a instauré l'école publique gratuite et obligatoire
- Parce qu'il a instauré la Sécurité sociale pour tous
- Parce qu'il a instauré les congés payés pour tous

28 En 1898, Émile Zola écrit un article qui paraît à la une de *L'Aurore* sous le titre « J'Accuse...! ». De qui prend-il la défense ?

- Anatole France
- Alfred Dreyfus
- Georges Clemenceau

29 Quel est ce célèbre tribun qui s'adressa au peuple au Pré-Saint-Gervais, le 25 mai 1913 ?

- Georges Clemenceau
- Jules Guesde
- Jean Jaurès

30 D'abord surnommé « Le Tigre », il devient ensuite « le Père la Victoire ». Quel est son nom ?

- Georges Clemenceau
- Raymond Poincaré
- Paul Déroulède

31 Avec plus de 300 000 morts français et allemands sur un site de quelques kilomètres carrés, cette bataille est devenue le symbole de l'épouvantable hécatombe de la Première Guerre mondiale. Où se déroula-t-elle ?

32 Quel événement célèbre-t-on le 11 novembre à l'Arc de triomphe de Paris ?

. . . .

33 Quels monuments communaux la loi du 25 octobre 1919 a-t-elle permis d'ériger grâce à l'aide de l'État ?

. . . .

34 Quel était le programme du Front populaire ?
- Pain, Paix, Liberté
- Travail, Famille, Patrie
- Égalité, Liberté, Solidarité

35 Complétez cet extrait de l'appel de Charles de Gaulle sur les ondes de la BBC, le 18 juin 1940, en plaçant les mots manquants :

États-Unis – Non – Guerre mondiale – Empire – Armées

« Les chefs qui, depuis de nombreuses années, sont à la tête des . . . . françaises, ont formé un gouvernement. Ce gouvernement, alléguant la défaite de nos armées, s'est mis en rapport avec l'ennemi pour cesser le combat. [...]

Mais le dernier mot est-il dit ? L'espérance doit-elle disparaître ? La défaite est-elle définitive ? . . . . !

Croyez-moi, moi qui vous parle en connaissance de cause et vous dis que rien n'est perdu pour la France. Les mêmes moyens qui nous ont vaincus peuvent faire venir un jour la victoire.

Car la France n'est pas seule ! Elle n'est pas seule ! Elle n'est pas seule ! Elle a un vaste . . . . derrière elle. Elle peut faire bloc avec l'Empire britannique qui tient la mer et continue la lutte. Elle peut, comme l'Angleterre, utiliser sans limites l'immense industrie des . . . .

Cette guerre n'est pas limitée au territoire malheureux de notre pays. Cette guerre n'est pas tranchée par la bataille de France. Cette guerre est une . . . . Toutes les fautes, tous les retards, toutes les souffrances n'empêchent pas qu'il y a, dans l'univers, tous les moyens nécessaires pour écraser un jour nos ennemis. Foudroyés aujourd'hui par la force mécanique, nous pourrons vaincre dans l'avenir par une force mécanique supérieure. Le destin du monde est là. [...]»

36 Qui fut le chef de l'État français de 1940 à 1944?

. . . .

37 Ce jeune résistant a laissé une lettre magnifique à ses parents avant d'être exécuté par les nazis le 22 octobre 1941. Quel est son nom?

- Corentin Cariou
- Jean-Pierre Timbaut
- Guy Môquet

38 En 1941, le colonel de Hauteclocque a prêté en Libye le serment de libérer Strasbourg. Sous quel autre nom est-il plus connu comme général?

- De Lattre
- Juin
- Leclerc

39 Où furent regroupés les 12 884 Juifs parisiens de tous âges arrêtés par la police française les 16 et 17 juillet 1942, avant d'être livrés aux nazis?

. . . .

40 Qui est ce personnage qui symbolise la Résistance française pendant la Seconde Guerre mondiale ?

- Jean Moulin
- Pierre Brossolette
- Henri Frenay

41 Lors de quel scrutin les Françaises ont-elles eu le droit de voter pour la première fois ?

- Les municipales d'avril 1945
- Les cantonales de septembre 1945
- Les législatives d'octobre 1945

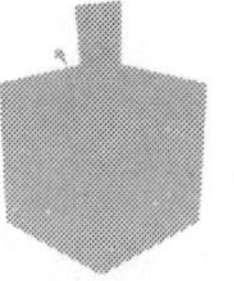

42 Quel est le nom familier donné à l'institution créée en 1945 par Pierre Laroque pour protéger les Français des aléas de la vie ?

. . . .

43 Où a été signé, le 25 mars 1957, le traité faisant entrer la France dans la Communauté économique européenne ?

- À Bruxelles
- À Strasbourg
- À Rome

44 Une femme s'est présentée six fois à l'élection présidentielle. Quel est son nom ?

- Marie-George Buffet
- Ségolène Royal
- Arlette Laguiller

45 Élu président de la République en 1981 après deux échecs, il est réélu pour un deuxième mandat en 1988. Quel est son nom ?

Institutions, valeurs, symboles

46 Quel est l'article 1 de la Déclaration des droits de l'homme, votée le 26 août 1789 par l'Assemblée nationale ?

- Le principe de toute Souveraineté réside essentiellement dans la Nation. Nul corps, nul individu ne peut exercer d'autorité qui n'en émane expressément.
- Les hommes naissent et demeurent libres et égaux en droits. Les distinctions sociales ne peuvent être fondées que sur l'utilité commune.
- Nul ne doit être inquiété pour ses opinions, même religieuses, pourvu que leur manifestation ne trouble pas l'ordre public établi par la Loi.

47 En quelle année a été adoptée la devise de la République française : « Liberté, Égalité, Fraternité » ?

- 1789
- 1848
- 1880

48 Dans les trois couleurs du drapeau français, que symbolise le blanc ?

. . . .

49 Quel événement important de l'histoire de France a eu lieu le 14 juillet 1789 ?

. . . .

50 Complétez les mots manquants du premier couplet de l'hymne national de la France :

Égorger – La tyrannie – Jour de gloire – Campagnes

« Allons enfants de la patrie,
le . . . . est arrivé.
Contre nous de . . . . ,
l'étendard sanglant est levé.
Entendez-vous dans les . . . . ,
mugir ces féroces soldats ?
Ils viennent jusque dans nos bras,
. . . . nos fils et nos compagnes. »

51 Qui est ce personnage qui symbolise la République ?

- Jeanne d'Arc
- Marianne
- Brigitte Bardot

52 Par quel animal les Français et les étrangers ont-ils coutume de symboliser la France ?

- L'aigle
- Le coq
- Le lion

53 Adopté en 1804, cet ouvrage regroupe l'ensemble des articles de lois qui établissent la justice. Quel est son nom ?

. . . .

54 Sur quel principe juridique la nationalité française réside-t-elle ?

- Le droit du sol
- Le droit d'aînesse
- Le droit du sang

55 Complétez cet extrait du discours d'Ernest Renan à la Sorbonne le 11 mars 1882 en plaçant les mots manquants :

Peuple – Principe spirituel – Capital social – Désir de vivre ensemble

« Une nation est une âme, un . . . . Deux choses qui, à vrai dire, n'en font qu'une, constituent cette âme, ce principe spirituel. L'une est dans le passé, l'autre dans le présent. L'une est la possession en commun d'un riche legs de souvenirs ; l'autre est le consentement actuel, le . . . . , la volonté de continuer à faire valoir l'héritage qu'on a reçu indivis. L'homme, Messieurs, ne s'improvise pas. La nation, comme l'individu, est l'aboutissant d'un long passé d'efforts, de sacrifices et de dévouements. Le culte des ancêtres est de tous le plus légitime ; les ancêtres nous ont faits ce que nous sommes. Un passé héroïque, des grands hommes, de la gloire (j'entends de la véritable), voilà le . . . . sur lequel on assied une idée nationale. Avoir des gloires communes dans le passé, une volonté commune dans le présent ; avoir fait de grandes choses ensemble, vouloir en faire encore, voilà les conditions essentielles pour être un . . . . On aime en proportion des sacrifices qu'on a consentis, des maux qu'on a soufferts. On aime la maison qu'on a bâtie et qu'on transmet. Le chant spartiate "Nous sommes ce que vous fûtes ; nous serons ce que vous êtes" est dans sa simplicité l'hymne abrégé de toute patrie. »

56 Combien de départements ont été délimités en 1791 ?

- 77
- 83
- 98

57 Bonaparte disait de cette décoration : « C'est avec un hochet que l'on mène les hommes. »

. . . .

58 Créé en 1808, ce diplôme a été décroché par 535 000 candidats en 2009.

. . . .

59 La loi de 1905 sur la séparation de l'Église et de l'État établit un principe républicain fondamental. Quel est ce principe ?

- La laïcité
- La représentativité nationale
- L'égalité hommes-femmes

60 À quelle date fut promulguée la Constitution de la Ve République ?

. . . .

61 Lequel de ces hommes politiques n'a jamais été Premier ministre :

- Michel Debré
- Dominique Strauss-Kahn
- Maurice Couve de Murville
- Laurent Fabius
- Pierre Messmer

62 Quel est le mode de scrutin pour élire les députés ?

- Proportionnel par listes régionales
- Majoritaire à un tour
- Majoritaire à deux tours

63 Cet historien a écrit un livre fondamental publié en 1986 et intitulé *L'Identité de la France*. De qui s'agit-il ?

- Ernest Lavisse
- Emmanuel Le Roy-Ladurie
- Fernand Braudel

64 Quel peintre a réalisé en 1789 cette allégorie du serment dit « du Jeu de paume » ?

- David
- Delacroix
- Ingres

65 Qui est l'auteur de ce tableau intitulé *La Liberté guidant le peuple* ?

- Géricault
- Delacroix
- Ingres

66 Quels sont les deux grands courants politiques qui rythment les élections en France ?

- La droite et la gauche
- Les rouges et les blancs
- Les Girondins et les Jacobins

67 Quelle œuvre de bienfaisance Coluche a-t-il créée ?

Géographie

68 Quelle est la forme simplifiée du territoire français ?

- Le polygone
- Le pentagone
- L'hexagone

69 Avec 4 810 mètres d'altitude, quel est le point culminant de France et d'Europe ?

70 Reliez chacun de ces fleuves à la mer dans laquelle il se jette :

Aa .	. Manche
Rhône .	. océan Atlantique
Garonne .	. mer Méditerranée
Loire .	. océan Atlantique
Seine .	. mer du Nord
Rhin .	. Manche
Somme .	. mer du Nord

71 Quelle partie du littoral méditerranéen est considérée depuis plus d'un siècle comme un lieu privilégié de vacances ?

- Côte d'Or
- Côte d'Azur
- Côte d'Opale

72 Laquelle de ces possessions d'outre-mer n'est pas une île ?

- La Martinique
- La Guadeloupe
- La Guyane
- Clipperton

73 Retrouvez les altitudes de ces points culminants :

Pic de Vignemale .	. 4810 mètres
Crêt de la Neige .	. 1424 mètres
Mont Blanc .	. 3298 mètres
Grand Ballon .	. 1886 mètres
Puy de Sancy .	. 1720 mètres

74 Laquelle de ces montagnes n'est pas un volcan ?

- La Soufrière
- Le mont Canigou
- Le Piton de la Fournaise
- Les monts du Cantal
- L'Orohena

75 Placez les départements dans la région à laquelle ils appartiennent :

Aveyron .	. Auvergne
Aube .	. Basse-Normandie
Allier .	. Bourgogne
Aude .	. Bretagne
Orne .	. Centre
Loir-et-Cher .	. Champagne-Ardenne
Loire .	. Languedoc-Roussillon
Morbihan .	. Limousin
Deux-Sèvres .	. Lorraine
Corrèze .	. Midi-Pyrénées
Yonne .	. Poitou-Charentes
Vosges .	. Rhône-Alpes

76 Vendue à la France en 1768 par les Génois, elle est surnommée « l'île de Beauté ».

77 Quel est le nombre d'enfants nés en France en 2008 ?
- 665 000
- 742 000
- 834 000
- 921 000

78 Quel pourcentage de la population mondiale les Français représentent-ils ?
- 1 %
- 2 %
- 5 %

79 Ils sont d'origine étrangère et ils ont contribué à la construction et au rayonnement de la France. De quel pays sont-ils originaires ?

Alain Mimoun .	. Arménie
Léon Gambetta .	. Italie
Yves Montand .	. Pologne
Missak Manouchian .	. Algérie
Raymond Kopa .	. Italie
Georges Charpak .	. Pologne

Économie, sciences et techniques

80 Cette monnaie, lancée en 1360 pour payer la rançon du roi Jean le Bon, fut abandonnée en 2002. Quel est son nom ?

81 Fondé en 1818 par Benjamin Delessert, ce livret était autrefois offert aux communiants pour qu'ils placent leurs économies.

82 En quelle année Nicéphore Niepce a-t-il réalisé la première photographie ?

- 1816
- 1826
- 1839

83 Polonaise d'origine, elle obtient en 1903 le prix Nobel de physique. Qui est-ce ?

- Isabelle Eberhardt
- Sarah Bernhardt
- Marie Curie

84 Contre quelle maladie redoutable Louis Pasteur a-t-il trouvé le vaccin ?

. . . .

85 Le cahier des charges de cette voiture populaire stipulait dans les années 1930 : « Transporter quatre personnes et 50 kilos de pommes de terre ou un tonnelet, à la vitesse maximale de 60 kilomètres-heure pour une consommation de 3 litres aux cent ». Quel est son nom ?

- La 2 CV
- La 4 CV
- La 4L

86 Ce chef-d'œuvre de la construction navale française, déplaçant 66 300 tonneaux de jauge brute à la vitesse de 31 nœuds et emportant 1 800 passagers, finit tristement sa carrière sous pavillon étranger. Quel était son nom français ?

. . . .

87 Quel est le nom du seul avion de ligne supersonique jamais construit, dont le prototype vola pour la première fois le 2 mars 1969 ?

. . . .

88 Ce mode de transport a révolutionné la géographie de la France en mettant Lyon à deux heures de Paris en 1981. Quel est son nom ?

. . . .

89 Parmi ces produits, lesquels sont d'origine française ?

- La vache qui rit
- Stylo Bic
- Nutella
- Ray Ban
- Opinel
- Zodiac

90 Son numéro en fait un des parfums les plus célèbres au monde.

. . . .

91 Quelle entreprise française fondée par Eugène Schueller a-t-elle fêté son centenaire en 2009 ?

- L'Oréal
- Nestlé
- Dupont de Nemours

92 Installée à Billancourt, cette usine a été longtemps considérée comme la forteresse du monde ouvrier.

. . . .

93 Créé en 1895, ce syndicat est réputé compter le plus grand nombre d'adhérents.

- CGT
- FO
- CFDT

94 Instaurée par le Premier ministre Michel Rocard en 1988, cette allocation a pour but d'aider les ménages les plus pauvres.

- La CSG
- Le RMI
- Le PIB

95 En quelle année ont été mis en circulation les pièces et les billets en euros ?

- 1993
- 1997
- 2002

96 Quel est le pays d'Europe où le taux de grève est le plus élevé ?

- La France
- Le Danemark
- L'Allemagne

Langue, littérature

97 Quel est le plus ancien texte connu rédigé en français ?

- Le traité de Verdun
- Le Serment de Strasbourg
- La Chanson de Roland

98 Fondée par Richelieu en 1635, cette institution accueille 40 Immortels chargés de codifier et de défendre la langue française.

- La Comédie-Française
- L'Académie française
- Le Conseil d'État

99 Son *Discours de la méthode* est considéré comme fondateur de la pensée française. Qui est-ce ?

- Descartes
- Pascal
- Voltaire

100 Reliez chaque auteur à son œuvre :

François Rabelais .	. *Micromégas*
Michel de Montaigne .	. *La Peste*
Madame de Sévigné .	. *Madame Bovary*
Jean de La Fontaine .	. *Le Contrat social*
Molière .	. *L'Avare*
Pierre Corneille .	. *Pantagruel*
Voltaire .	. *L'Assommoir*
Jean-Jacques Rousseau .	. *Fables*
Honoré de Balzac .	. *Les Misérables*
Stendhal .	. *Les Essais*
Gustave Flaubert .	. *Le Père Goriot*
Victor Hugo .	. *Les Mains sales*
Émile Zola .	. *Le Cid*
Marcel Proust .	. *Lettres*
Jean-Paul Sartre .	. *À la recherche du temps perdu*
Albert Camus .	. *La Chartreuse de Parme*

101 Quel est le point commun entre tous ces écrivains : Sully Prudhomme, Frédéric Mistral, Romain Rolland, Anatole France, Roger Martin du Gard, André Gide, François Mauriac, Albert Camus, Saint-John Perse, Jean-Paul Sartre, Claude Simon, Gao Xingjian, Jean-Marie Gustave Le Clézio ?

- Ils sont tous académiciens français
- Ils sont tous Prix Nobel de littérature
- Ils ont tous reçu le prix Goncourt

102 Quelle est l'expression qui désigne une invitation en toute simplicité ?

- « À la bonne franquette »
- « À la va-comme-je-te-pousse »
- « À bon entendeur, salut ! »

103 Parmi ces expressions qui désignent le bien-être, trouvez l'intrus :

- « Aux petits oignons »
- « Comme un coq en pâte »
- « Le dindon de la farce »

104 Quel mot de 5 lettres, attribué au général Cambronne, est un des plus utilisés de la langue française pour signifier la colère, l'impatience, le mépris ou le refus ?

105 Ce mot d'argot utilisé par les poilus dans les tranchées de la guerre de 1914-1918 désigne un produit typiquement français.

- Le caoua
- Le pinard
- Le barda

106 Où prend-on un « petit noir » ou un « blanc sec » ?

- Au lupanar
- Au bistrot
- À la guitoune

107 Quels sont les trois noms communs qui changent de genre en changeant de nombre ?

- Amour
- Beauté
- Délice
- Orgue
- Syndrome
- Valeur

108 Laquelle de ces récompenses n'est pas un prix littéraire ?

- Le prix Goncourt
- Le prix Louis-Delluc
- Le prix Renaudot

Arts, patrimoine

109 Sur les parois de ces grottes se sont exprimés les hommes préhistoriques.

- Lascaux
- Rocamadour
- Lourdes

110 Quelle rivière franchit ce pont construit par les Romains pour approvisionner en eau la ville de Nîmes ?

111 Cette abbaye occupe un lieu sacré depuis l'époque des Gaulois et attire chaque année plus de 3 millions de visiteurs.

- Fontevrault
- Mont Sainte-Odile
- Mont-Saint-Michel

112 Retrouvez le nom des villes où se dressent ces cathédrales.

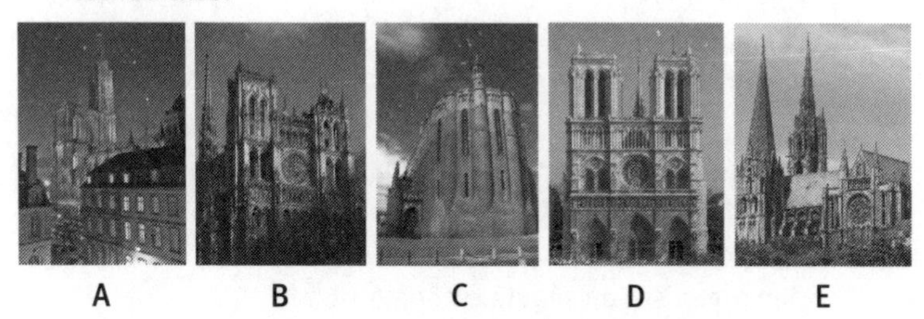

A B C D E

113 Quel est le tableau exposé au Louvre, volé en 1911, retrouvé en 1913 en Italie et déménagé plusieurs fois pendant la Seconde Guerre mondiale ?

114 Cet escalier à double révolution sans doute conçu par Léonard de Vinci est la marque de ce château de la Loire.

- Blois
- Chambord
- Chenonceau

115 Quel château fort est devenu la résidence des rois de France jusqu'au XVIIe siècle ?

- Le Louvre
- Vincennes
- La Bastille

116 Dans quel château se trouve la galerie des Glaces, achevée en 1684 ?

- Fontainebleau
- Versailles
- Vaux-le-Vicomte

117 Le Nôtre a défini les codes de ce que l'on appelle les « jardins à la française ». Quels sont-ils ?

- Des pelouses parsemées de bosquets d'arbres
- Une organisation végétale géométrique
- Des rocailles disséminées parmi la végétation

118 Sur quel monument parisien François Rude a-t-il sculpté ce *Départ des Volontaires* ?

- Les Invalides
- L'Arc de triomphe
- Le pont de l'Alma

119 Quel mouvement artistique tire son nom d'un tableau de Claude Monet représentant le lever du soleil sur l'avant-port du Havre en 1873 ?

- Le fauvisme
- Le cubisme
- L'impressionnisme

120 À quelle occasion a été construite à Paris la basilique du Sacré-Cœur de Montmartre ?

- Pour expier les crimes de la Commune
- Pour célébrer l'avènement de la IIIe République
- Pour protéger Paris des malheurs de la guerre

121 Quel monument provisoire a été édifié en 1889 à Paris pour célébrer le centenaire de la Révolution ?

- Le Grand Palais
- Le Trocadéro
- La tour Eiffel

122 Quel est le nom des frères qui ont mis au point le cinématographe en 1895 ?

. . . .

123 Reliez chaque metteur en scène au film qu'il a réalisé :

Georges Méliès . . *Ascenseur pour l'échafaud*
Marcel Carné . . *Mon oncle*
Jean Renoir . . *Les Valseuses*
Marcel Pagnol . . *Les Enfants du paradis*
Jean-Pierre Melville . . *La Grande Illusion*
Jacques Tati . . *Hiroshima mon amour*
François Truffaut . . *Diva*
Éric Rohmer . . *L'Armée des ombres*
Louis Malle . . *La Fille du puisatier*
Alain Resnais . . *Les Quatre Cents Coups*
Bertrand Blier . . *Le Voyage dans la lune*
Jean-Jacques Beineix . . *Ma nuit chez Maud*

124 Quel est le nom de l'artiste qui a réalisé cette sculpture ?

. . . .

125 Quel président de la République a-t-il fait bâtir ce musée d'art contemporain ?

- Georges Pompidou
- Valéry Giscard d'Estaing
- Jacques Chirac

126 Reliez chaque compositeur à son œuvre :

Jean-Baptiste Lully .	. *Dialogue de l'ombre double*
Jean-Philippe Rameau .	. *Gnossiennes*
Georges Bizet .	. *La Symphonie fantastique*
Jacques Offenbach .	. *Boléro*
Hector Berlioz .	. *Le Carnaval des animaux*
Maurice Ravel .	. *Carmen*
Claude Debussy .	. *Cadmus et Hermione*
Erik Satie .	. *La Vie parisienne*
Pierre Boulez .	. *Pelléas et Mélisande*
Camille Saint-Saëns .	. *Castor et Pollux*

Sports, loisirs, coutumes

127 Premier aviateur à avoir franchi la Méditerranée en avion, son nom a été donné à un stade où se déroule au mois de mai un tournoi du Grand Chelem. Qui est-ce ?

128 Reliez chaque interprète à son œuvre :

Maurice Chevalier . . *Les Copains d'abord*
Charles Trenet . . *Non, je ne regrette rien*
Édith Piaf . . *La Mer*
Georges Brassens . . *Ma gueule*
Johnny Hallyday . . *Ma pomme*

129 Trouvez l'intrus :

- *Astérix en Corse*
- *Astérix aux Jeux olympiques*
- *Astérix chez les Vandales*

130 Depuis 1903, cette épreuve sportive passionne chaque année les Français pendant trois semaine, au mois de juillet.

. . . .

131 Reliez aux bonnes dates ces trois footballeurs qui se sont illustrés à trois moments forts du football français :

Michel Platini .	. 1958
Zinedine Zidane .	. 1984
Just Fontaine .	. 1998

132 Quel jeu pratiqué dans le Midi consiste à placer ses boules le plus près du cochonnet ?

. . . .

133 Reliez chaque acteur au film dans lequel il joue :

Fernandel .	. *Les Tontons flingueurs*
Jean Gabin .	. *Les Valseuses*
Arletty .	. *Les Parapluies de Cherbourg*
Bourvil .	. *Le Petit Monde de Don Camillo*
Louis de Funès .	. *Les Enfants du paradis*
Brigitte Bardot .	. *Le Gendarme de Saint-Tropez*
Lino Ventura .	. *Le Guépard*
Alain Delon .	. *Quai des brumes*
Gérard Depardieu .	. *Le Corniaud*
Catherine Deneuve .	. *Et Dieu créa la femme*

134 Quel couvre-chef, associé au litre de rouge et à la baguette de pain, symbolise aux yeux des Français le type même du « franchouillard » ?

. . . .

135 Ces chaussons ont été fabriqués pour tenir au chaud les pieds des marins de Louis XIV.

. . . .

136 Quel sculpteur a donné son nom à un quartier de Paris réputé pour ses femmes légères ?

. . . .

137 Quelle était cette caractéristique typiquement française qui faisait, autrefois, fondre les belles étrangères ?

- La galanterie
- La goujaterie
- La gourmandise

138 Quel film français a battu le record du nombre de spectateurs, longtemps détenu par *La Grande Vadrouille ?*

. . . .

139 Depuis l'époque de Toulouse-Lautrec jusqu'à aujourd'hui, on y danse toujours le *french cancan*.

- Le Paradis Latin
- Le Moulin Rouge
- Le Lido

Gastronomie

140 Quels sont les deux intrus parmi ces vins de Bordeaux ?

- Le saint-émilion
- Le pessac-léognan
- Le saint-estèphe
- Le montrachet
- Le musigny
- Le pauillac

141 Maire de Dijon après la Libération, ce chanoine a laissé son nom à un apéritif célèbre.

- Kir
- Lillet
- Martini

142 Quel rendez-vous le monde entier a-t-il chaque troisième jeudi de novembre, depuis 1951 ?

143 On attribue à Dom Pérignon le procédé qui fait de ce vin le symbole de la fête.

. . . .

144 Quel est le degré d'alcool du pastis marseillais ?

- 45°
- 51°
- 55°

145 Quel est le pain le plus consommé en France ?

- Le bâtard
- Le grand-pain
- La baguette

146 Reliez ces fromages à leur région :

banon .	. Alsace
camembert .	. Auvergne
époisses .	. Bourgogne
saint-nectaire .	. Franche-Comté
cancoillotte .	. Midi-Pyrénées
munster .	. Nord
beaufort .	. Normandie
maroilles .	. Provence
roquefort .	. Savoie

147 Quel est le « fast food » français ?

- Le jambon-beurre
- Le hamburger
- Le kebab

148 Quelle spécialité culinaire vaut-elle aux Français d'être surnommés *froggies* par les Anglais ?

149 Il est anglais, elles sont belges, et l'ensemble constitue l'un des plats les plus prisés des Français.

150 Quel plat du Sud-Ouest est composé à base de haricots ?

- La garbure
- La pipérade
- Le cassoulet

Réponses
pour rafraîchir vos connaissances

Histoire

1
Alésia

En 52 avant J.-C., repoussées à Gergovie, les légions de César se replient vers le Rhône et la province romaine de Transalpine. Vercingétorix succombe alors à la tentation de leur porter le coup de grâce, persuadé que l'occasion est bonne de dégoûter à jamais les Romains de revenir en Gaule indépendante. Mais repoussé à son tour par la cavalerie germanique dont il ignorait l'existence, il commet l'erreur de se réfugier dans la place forte la plus

proche, l'oppidum d'Alésia (Alise-Sainte-Reine) sur le mont Auxois, estimé imprenable. César entreprend alors le siège méthodique de la place en creusant sur plusieurs kilomètres des lignes de fossés successifs pour protéger les légions romaines des sorties des Gaulois, et en installant des lignes de défense pour briser les assauts d'une armée de secours qui est effectivement repoussée après un combat meurtrier. Vercingétorix décide alors de se livrer à César qui, selon la coutume, le fera étrangler, en 46 avant J.-C. Les Gaulois ont perdu leur indépendance.
Il fallut attendre le Second Empire pour qu'à l'instigation de Napoléon III, historiens et archéologues cherchent à retrouver le site de cette bataille devenue un « lieu de mémoire » de l'histoire nationale. En dépit de ceux qui ont voulu situer cette bataille à Alaise, dans le Jura, c'est bien sur le mont Auxois que s'est réfugié Vercingétorix. On retrouve sur le terrain les deux lignes constituées de fossés et de pièges, de même qu'une partie du réseau de camps et fortins construits par Jules César.

2
Saint Martin

Martin est le patronyme le plus courant en France. Pourtant, Martin naît en 316, en Pannonie, région de l'actuelle Hongrie, alors sous domination romaine. Son père est officier et le nomme Martin, qui signifie « voué à Mars », le dieu romain de la guerre, le destinant ainsi à une carrière militaire. Mais le jeune homme veut se convertir au christianisme qui se propage alors dans l'Empire, ce qui lui interdirait d'entrer dans l'armée qui doit culte à l'empereur, considéré comme un dieu vivant. Son père empêche sa conversion et l'oblige à s'enrôler.

Martin est affecté en Gaule, à Amiens. Pendant l'hiver 338, lors d'une ronde de nuit, il tranche son manteau et en offre la moitié à un pauvre hère. Cette « cape », qui deviendra une des reliques les plus vénérées de la chrétienté, est à l'origine du mot « chapelle ». Le lendemain de son bienfait, Martin voit en songe le Christ vêtu de son manteau et se convertit.

La Gaule est alors païenne ; les communautés chrétiennes sont regroupées dans les villes autour de leur évêque. Jusqu'au concile de Nicée en 360, les chrétiens ne sont pas unis : de violents affrontements opposent les ariens, disciples du prêtre Arius, qui pensent que le Christ n'est pas le fils de Dieu, et les tenants de l'Église officielle. Fidèle à l'Église, Martin quitte l'armée et s'installe près de Poitiers. En 360, il fonde à proximité l'abbaye de Ligugé, considérée comme le premier monastère de France. Vivant en ermite, il fait vœu de pauvreté et pratique la mortification. Ses démonstrations de foi lui attirent de nombreux adeptes.

À la mort de leur évêque en 370, les habitants de Tours le choisissent pour successeur et l'obligent à accepter la charge. Malgré les honneurs, Martin ne change rien à son mode de vie, étend son ministère et sillonne toute la Gaule, accompagné de ses moines, pour évangéliser les campagnes et lutter contre le paganisme. Par ses prêches et son exemple, il convertit les foules en masse et fait ériger des églises dans les villages. À sa mort en 397, par une magnifique journée de novembre qui vaudra aux arrière-saisons ensoleillées le nom d'« été de la Saint-Martin », sa sainte dépouille est disputée entre Poitevins et Tourangeaux. Ces derniers enlèvent le corps par une véritable opération commando et l'inhument à Tours, où la basilique devient le but d'un des pèlerinages les plus importants du Moyen Âge.

3
Clovis

S'il est une date que tous les Français devraient connaître, c'est bien celle du baptême de Clovis Ier, considéré par beaucoup d'historiens comme le fondateur de l'histoire de France. Las, elle n'est pas certaine à dix années près, le seul texte à notre disposition étant le récit qu'en fait Grégoire de Tours dans son *Histoire des Francs* écrite au milieu du VIe siècle !

À la mort de son père Childéric Ier en 481, Clovis hérite du royaume des Francs saliens qui s'étend sur l'actuelle Belgique. En 486, sa victoire à Soissons sur celui qui se prétend encore le « roi des Romains », Syagrius, étend sa domination sur toute la Gaule du Nord jusqu'aux confins

de l'Armorique. Vers 493, il épouse Clotilde, une princesse burgonde catholique qui se donne pour mission de convertir son mari. En 496, alors que les guerriers alamans sont en passe de tailler en pièces ses troupes à Tolbiac, au sud-ouest de Cologne, Clovis se serait écrié : «Jésus-Christ, que Clotilde proclame être le fils du Dieu vivant, si Tu m'accordes de vaincre, je croirai en Toi et serai baptisé en Ton nom.» Le combat tournant à son avantage, Clovis respecte sa promesse. C'est à Reims, dans la cathédrale où seront couronnés les rois de France, que l'évêque Remi baptise le roi des Francs suivi de ses guerriers et le sacre, selon une légende diffusée à la fin du IXe siècle par Hincmar, le successeur de Remi à l'évêché de Reims.
Si ce baptême affirmait le prestige et la prééminence du catholicisme en Gaule, il permettait aussi à Clovis de présenter ses conquêtes futures comme autant d'entreprises destinées à asseoir l'alliance entre les Francs et les chrétiens. Une alliance qui allait unir pendant plus de treize siècles l'Église et la monarchie française.

4
À Saint-Denis

Denis, premier évêque de Paris, est décapité vers 272 sur la colline que l'on appellera *mons martyrum* («mont des Martyrs», Montmartre). Selon la légende, il se relève, s'empare de sa tête ensanglantée, la porte au milieu de la foule

venue assister à son exécution, se rend dans la plaine qui s'étend au nord de la ville et, enfin, s'allonge. L'endroit où il repose devint un lieu de culte puis, à l'initiative de Dagobert (603-638) et sur les conseils de son ministre Éloi, une basilique monumentale où le «bon roi» est enterré.
Quatre siècles plus tard, Hugues Capet choisit Saint-Denis pour être inhumé, suivi, à quelques exceptions près (notamment Louis XI qui repose à Notre-Dame de Cléry, près d'Orléans), de tous les Capétiens.
Au XIIe siècle, l'abbé Suger fit agrandir l'abbaye dans le nouveau style gothique. On y plaça les instruments du sacre (les *regalia*) : la couronne, la main de justice, la Sainte Ampoule, les éperons, Joyeuse (l'épée royale), les gants, le sceptre, l'anneau et le manteau. C'est à Saint-Denis que Henri IV abjura la foi protestante pour se convertir au catholicisme. Haut lieu de la monarchie, la nécropole fut saccagée sous la Révolution et la plupart des tombeaux brisés. En 1975, une urne contenant le cœur de Louis XVII, mort à la prison du Temple, a été placée dans la crypte de Saint-Denis, permettant au jeune dauphin de rejoindre ses ancêtres.

5
L'Angleterre

Au cours du haut Moyen Âge, l'Angleterre a été envahie par les Angles et les Saxes aux Ve et VIe siècles, puis par les Danois aux IXe et XIe siècles. Lorsque le roi Édouard le Confesseur meurt sans héritier en 1066, deux prétendants font valoir leur droit pour lui succéder : Harold, beau-frère anglo-saxon du roi défunt et Guillaume, duc de Normandie, cousin d'Édouard. Harold s'installe sur le trône, mais le Normand n'entend pas se laisser spolier. Au printemps 1066, il prépare une expédition armée. Attirés par la promesse d'une distribution de terres, plus de 7000 hommes de guerre venus de Bretagne, de France et des royaumes normands d'Italie du Sud affluent vers Caen. Le témoignage de ces préparatifs nous est offert par la tapisserie longue de 48 mètres brodée par Mathilde de Flandre, l'épouse de Guillaume. On peut toujours l'admirer à Bayeux, dans un étonnant état de conservation. Le 28 septembre, la flotte normande traverse la Manche et Guillaume débarque en Angleterre. Le 14 octobre, l'armée de Harold arrive à Hastings et engage une bataille acharnée au cours de laquelle Harold est tué. Le 25 décembre, Guillaume de Normandie, vassal du roi de France, est sacré roi d'Angleterre à Westminster. Les seigneurs normands remplacent alors les seigneurs anglo-saxons. Jusqu'au XVIe siècle, la noblesse britannique parlera français, n'usant de l'anglais que pour se faire comprendre du peuple. Pour preuve, la devise des Plantagenêts, les souverains anglais : « Honni soit qui mal y pense. »

6
La Sorbonne

L'université de la Sorbonne doit son nom à son fondateur, Robert de Sorbon, chapelain et confesseur du roi de France, saint Louis. Établissement d'enseignement théologique réservé aux jeunes étudiants pauvres, il accueille à partir de 1257 les jeunes gens désirant devenir clercs et acquiert rapidement une réputation immense dans le monde chrétien. Le terrain, donné par saint Louis sur la montagne Sainte-Geneviève, était borné par une ruelle (l'actuelle rue de la Sorbonne) nommée « Coupe-Gueule » ! Reconstruite par Richelieu de 1627 à 1642, fermée par la Révolution en 1791, atelier d'artistes en 1801, la Sorbonne est à nouveau affectée à l'enseignement en 1821.

À la fin du XIXe siècle, la République la reconstruit à son tour pour en faire le sanctuaire de l'esprit, le lieu privilégié de la connaissance. Haut lieu de la contestation étudiante en 1968, elle reste toujours le symbole de l'université française. Son grand amphithéâtre décoré par une immense toile peinte par Pierre Puvis de Chavannes est toujours privilégié pour accueillir des manifestations culturelles.

7
Bouvines

Depuis que Louis VI a répudié Aliénor d'Aquitaine en 1152, le roi d'Angleterre, qui est duc de Normandie, comte d'Anjou et prince d'Aquitaine, est plus puissant que son suzerain le roi de France. Jusqu'à Philippe Auguste, les souverains capétiens ont mené une politique extérieure prudente, faite d'alliances, souvent par mariage, pour consolider leur royaume, n'utilisant les armes qu'en dernier recours. Mais en 1199, Jean sans Terre succède à Richard Cœur de Lion sur le trône d'Angleterre. De caractère violent, exalté – on le dit à demi fou –, il ne se présente pas pour rendre l'hommage à son suzerain, le roi de France. En représailles, Philippe confisque par les armes ses fiefs continentaux. La conquête dure dix ans, de 1204 pour la Normandie à 1214 pour le Poitou et l'Anjou. Jean sans Terre finance alors une coalition réunissant l'empereur Otton IV, le comte de Flandre et les seigneurs lésés par le droit que Philippe exerce sur les mariages et les héritages. Les armées se rencontrent dans les Flandres, à Bouvines, près de Lille. Celle du roi de France est formée de chevaliers d'Île-de-France et de Bourgogne, épaulés par les milices communales. Les chevaliers ennemis viennent des Flandres et des pays du Rhin. Otton passe à l'attaque le dimanche 27 juillet, ce qui est interdit par l'Église, mais il a déjà été excommunié par le pape ! La bataille vire au massacre des coalisés : seuls dix chevaliers français sont tués alors que les morts et les prisonniers ennemis se comptent par dizaines, à commencer par le comte de Flandre. Les rançons renfloueront les finances du Capétien et des seigneurs français. Surtout, Philippe Auguste a fait valoir son bon droit et a imposé son autorité. Quand il meurt en 1223, le domaine royal est quatre fois plus grand qu'à son avènement. Bouvines a fait de lui un véritable « auguste », considéré par tous ses contemporains comme un successeur de Charlemagne. C'est bien à cette date que s'épanouit la sensibilité des Français à la France.

8
Louis IX

Le chêne de Vincennes sous lequel Louis IX (1214-1270) rendait la justice et lavait humblement les pieds de ses visiteurs fait partie des images fortes pour des générations de petits Français qui, à l'école obligatoire de la République, ont découvert qu'il y avait eu, malgré tout, de bons rois. S'il fut canonisé en 1297 pour sa piété, Louis IX fut avant tout un grand homme politique qui a conforté le pouvoir royal et qui, par l'épée mais surtout par la diplomatie, a sécurisé le pays. Sur le plan intérieur, il s'est appuyé sur des représentants qui veillaient en son nom à ce que les droits de chacun soient respectés par les baillis et les seigneurs.

Surtout, le règne de saint Louis fut placé sous le signe de la foi et de la volonté de conduire les sujets au salut éternel. Il participa à deux croisades et, fait prisonnier devant Le Caire, fut libéré contre rançon. Il acheta à Constantinople la couronne d'épines du Christ et un fragment de la Sainte Croix. Pour abriter ces reliques inestimables, il fit bâtir sur l'île de la Cité à Paris un joyau de pierre et de vitraux : la Sainte-Chapelle, inaugurée par une messe solennelle le 26 avril 1248. Mais ce souverain profondément croyant réprima impitoyablement le blasphème, ceux qui outrepassaient son interdiction du jeu, les prostituées et aussi les Juifs, auxquels il interdit de pratiquer le prêt à intérêt et qu'il obligea à porter la rouelle, un morceau d'étoffe représentant une roue symbolisant les 30 deniers de Judas, sur leurs vêtements.
Il mourut de dysenterie devant les remparts de Tunis, le 25 août 1270.

9
Jeanne d'Arc

Au Moyen Âge, on appelait « pucelle » une adolescente. À dix-sept ans, Jeanne d'Arc, qui vit à Domrémy, en Lorraine, entend les voix de saint Michel, de sainte Marguerite et de sainte Catherine qui lui ordonnent de bouter les Anglais hors de France et de faire couronner le dauphin. En effet, Charles a été dépossédé de son royaume

au profit du roi d'Angleterre en 1420 par le traité de Troyes. À la tête d'une armée, Jeanne délivre Orléans du siège anglais et conduit le dauphin Charles à Reims où il est couronné en 1429. Charles VII, oint par l'Église, devient, grâce à elle, l'incontestable roi de droit divin.
Mais Jeanne est capturée par les Bourguignons à Compiègne en mai 1430. Revendue aux Anglais, elle est transférée à Rouen où ses procès se tiennent du 9 janvier au 30 mai 1431. Accusée d'hérésie, d'insoumission à l'Église, d'idolâtrie, etc., elle est condamnée au bûcher et brûlée vive le 30 mai 1431. Elle sera canonisée en 1922.
Pour Michelet, le grand historien du XIXe siècle, la Pucelle est une « sainte laïque » dont il dit : « Souvenons-nous toujours, Français, que la patrie chez nous est née du cœur d'une femme, de sa tendresse et des larmes, du sang qu'elle a donné pour nous. » Elle inspire Charles Péguy qui lui consacre deux ouvrages et Jean Jaurès qui vante la pureté de son engagement dans *L'Armée nouvelle.* Mais Jeanne d'Arc est aussi vénérée par les nationalistes et l'extrême droite. Pendant la Seconde Guerre mondiale, le régime de Vichy l'utilise sur des affiches pour dénoncer les bombardements anglais.

10
Marignan

En 1515, François Ier succède à Louis XII dont il est le petit-cousin et le gendre, et qui meurt sans descendance mâle. À vingt et un ans, le jeune roi rêve de s'illustrer dans une guerre glorieuse. Il répond à l'appel des Vénitiens et engage son armée en Italie contre les Milanais et leurs mercenaires suisses. Le 13 septembre 1515, les tirs des canons français ravagent les rangs serrés des Suisses à Marignan, dans la plaine du Pô, en Italie. La victoire est éclatante et se solde par 16 000 morts, ce qui fait de cette bataille la plus meurtrière depuis l'Antiquité. François Ier signe une paix perpétuelle avec les Suisses qu'il pourra désormais recruter pour son service. Dix ans plus tard, il est fait prisonnier à Pavie par Charles Quint. Ainsi finit le rêve italien des rois de France.
Pourquoi cette victoire reste-t-elle si bien gravée dans la mémoire collective française ? Peut-être parce que le soir de la victoire, le jeune roi, amoureux des romans de chevalerie, se fait adouber, selon l'ancienne coutume, par le chevalier Bayard, l'un des héros de la journée.

11
Villers-Cotterêts

L'une des dispositions de l'ordonnance rendue à Villers-Cotterêts le 10 août 1539 par François Ier stipule que tous les actes judiciaires et notariés devront désormais être rédigés en « langage maternel français » et non plus en latin. Ceci, est-il précisé, « pour qu'il n'y ait ni puisse avoir aucune ambiguïté ou incertitude ni lieu à en demander interprétation ». L'ordonnance oblige aussi tous les desservants du royaume à ouvrir et à tenir des registres de baptême et d'inhumation. C'est l'institution de l'état civil en France. Ainsi s'affirme de manière décisive le français, qui devient la langue du pouvoir et bientôt de la littérature. C'est en 1549 que paraît *La Défense et Illustration de la langue française* rédigée par Joachim du Bellay et Pierre Ronsard.

12
Le massacre de la Saint-Barthélemy

Le 24 août 1572, au lever du jour, une rumeur se répand dans Paris : une aubépine du cimetière des Saints-Innocents, desséchée depuis plusieurs années, vient de refleurir. N'est-ce pas le signe envoyé par Dieu pour débarrasser le royaume des protestants, ces « hérétiques » qui souillent le royaume ? Toujours est-il que, saisie d'une

«fureur incroyable», une masse fanatique qu'excitent par ailleurs la disette et la vie chère allait en quelques jours égorger 2000 protestants rassemblés dans la capitale pour le mariage de Marguerite de Valois et de Henri de Bourbon, le futur Henri IV. L'amiral de Coligny, le chef du parti protestant, est le premier tué et son cadavre est dépecé.
En aiguisant la haine entre catholiques et partisans de la religion «réformée», ce massacre allait compromettre toutes les tentatives favorables à la tolérance religieuse.

13
Henri IV

«Je fais la guerre, je fais l'amour et je bâtis.» En prononçant ces «mots» historiques de son vivant, Henri IV a su brosser de lui le portrait du «bon roi», celui qui ramène la paix dans son royaume et offre à ses sujets la prospérité et l'abondance. «Si Dieu me prête encore de la vie, aurait aussi dit Henri, je ferai qu'il n'y aurait point de laboureur en mon royaume qu'il n'ait le moyen d'avoir une poule dans son pot.»
Devenu roi en 1589, le Béarnais Henri de Navarre, méridional et séducteur, homme de dialogue et de tolérance, reste sans doute le roi le plus populaire de l'histoire de France. En 1598, il impose l'édit de Nantes qui consacre la fin provisoire des guerres de Religion et affirme la

liberté de conscience. Avec l'aide de Sully, surintendant des Finances, il prend des mesures fiscales bénéfiques pour les travailleurs de la terre et contribue à la restauration agricole. Ponts, canaux et routes, auxquels l'État va jusqu'à consacrer 5 % de ses recettes annuelles, stimulent le commerce. L'industrie de la soie se développe à Lyon. Au cœur des villes, les places portent l'empreinte de la personnalité du roi, un roi qui refuse le baroque et contribue à orienter les esprits vers un classicisme qui doit traduire, dans les villes, le même ordre qui règne dans l'État. En 1610, son assassinat par Ravaillac, un exalté, en fait un martyr et jette les bases d'un mythe qui nourrit toujours l'imaginaire des Français.

14
Le Roi-Soleil

Louis XIII meurt en 1643 et Louis XIV, né en 1638, est couronné en 1654. Il meurt en 1715 et son règne est le plus long de l'histoire de France. Monarque de droit divin, le Roi-Soleil se considère comme le lieutenant de Dieu sur terre et le défenseur de la foi catholique. On lui attribue une phrase qui résume à elle seule la monarchie absolue qui s'affirme sous son règne : « L'État, c'est moi. » Avec Louis XIV, les seules limites au pouvoir royal sont les lois fondamentales du royaume, auxquelles il s'est soumis lors de son sacre, et qui régissent la transmission de

la couronne et son inaliénabilité, et les privilèges qui interdisent l'immixtion du roi dans les affaires de droit privé.
Autre formule qui résume les pouvoirs du monarque : « Une foi, une loi, un roi. » C'est au nom de cette doctrine que Louis XIV décide en 1698 de révoquer l'édit de Nantes, provoquant le départ massif des protestants français vers les pays du Rhin.
Versailles est élevé à la gloire de ce souverain qui règne sur le pays le plus peuplé d'Europe, avec 20 millions de sujets. Dans cet écrin, les nobles sont réduits au rôle de courtisans, quémandant entrevues, offices et pensions au monarque qui les accorde selon son bon vouloir. La géographie des lieux, l'étiquette, les rituels de la journée, le théâtre, l'opéra, les divertissements... tout est centré sur la personne du Roi-Soleil qui se fait représenter en Apollon, dieu de la paix et des arts, ou en Phébus, l'astre solaire. Pour rencontrer le roi, les représentants des souverains étrangers doivent passer par le salon de la Guerre, traverser la galerie des Glaces, avant de parvenir devant le « Soleil », dans le salon de la Paix.

15
L'indépendance des États-Unis d'Amérique

En 1773, un conflit éclate entre les treize colonies de Nouvelle-Angleterre et la métropole britannique qui octroie aux armateurs anglais le monopole du commerce des colonies et taxe lourdement les produits américains vendus exclusivement en Angleterre.
En 1776, les représentants des treize colonies réunis en congrès à Philadelphie adoptent la Déclaration d'indépendance : c'est la guerre. Le physicien Benjamin Franklin se rend en Europe pour y plaider la cause des insurgés. Les Français et la cour de Louis XVI lui réservent un accueil enthousiaste. Sa cause enflamme l'esprit du jeune marquis Gilbert Motier de La Fayette.
L'année suivante, La Fayette réunit des fonds et part à ses frais avec un petit groupe d'officiers vers l'Amérique. Il se couvre de gloire lors des combats et se lie d'amitié avec George Washington. Son retour en France en 1779 est triomphal. La Fayette est reçu dans tous les salons où il gagne le nom de « héros des deux mondes ». Voyant l'occasion d'affaiblir l'ennemi anglais qui a privé la France de ses colonies en 1763, Louis XVI décide alors d'aider les Américains. La Fayette retourne en Amérique avec un corps expéditionnaire commandé par Rochambeau et une escadre commandée par De Grasse. Aidés par les Français, les Américains remportent en 1781 une victoire décisive à Yorktown. En 1783, la guerre prend

fin par la signature du traité de Versailles : l'Angleterre et la France reconnaissent l'indépendance des États-Unis d'Amérique.
En 1917, le général Pershing débarquant à Saint-Nazaire avec les soldats américains venus épauler les Alliés contre l'Allemagne s'écriera : « La Fayette, nous voilà ! »

16
Les sans-culottes

Le sans-culotte représente le peuple français en révolution, le patriote tutoyant chacun en l'appelant « citoyen ». L'appellation qui était autrefois insultante – celui qui ne portait pas de culotte mais un pantalon était un travailleur méprisé – devient vertueuse dès l'été 1789.
Qui était ce révolutionnaire vertueux ? Certainement un homme du peuple, artisan, boutiquier, manœuvre, mais parfois aussi un bourgeois aisé, pourvu qu'il apporte dans la rue son soutien aux régimes qui se succèdent de 1789 à 1799. Voici la définition qu'en donne Hébert dans son journal *Le Père Duchesne* au plus fort de la Révolution, en 1793 : « C'est un être qui va toujours à pied, qui n'a pas de millions comme vous voudriez tous en avoir, point de châteaux, point de valets pour le servir, et qui loge tout simplement avec sa femme et ses enfants, s'il en a, au quatrième ou au cinquième étage. Il est utile, il sait labourer un champ, forger, scier, limer, couvrir un toit, faire des

souliers et verser jusqu'à la dernière goutte de son sang pour le salut de la République. » On relèvera l'éloge du travail et de l'effort, vertus révolutionnaires qui s'opposaient à l'idéal aristocratique de l'oisiveté.

17
L'abolition des privilèges

Si le peuple des villes et la bourgeoisie occupent le devant de la scène lors de l'insurrection du mois de juillet 1789, les paysans ne sont pas moins concernés par le mouvement de « régénération nationale ». Dès l'ouverture des États généraux, croyant que le roi tiendra compte de leurs « doléances », ils cessent, dans certaines régions, de payer les redevances et somment les seigneurs de produire les titres justifiant leur prélèvement. Ce mouvement de révolte anti-seigneurial se double de la peur d'une réaction violente des aristocrates. Elle est renforcée par le climat d'insécurité qui règne à la suite de la crise économique et jette sur les routes un nombre croissant d'errants et de mendiants. Du 20 juillet au 6 août culmine une « grande peur » particulièrement forte dans le bocage normand, en Hainaut, en Alsace, en Franche-Comté et dans la vallée de la Saône. Des paysans armés attaquent les châteaux, pendent quelques seigneurs et brûlent les vieux titres où étaient consignés les montants de la dîme et du champart.

À Versailles, les députés découvrent avec surprise la fragilité sociale d'une civilisation si brillante pourtant de l'éclat des Lumières. Après avoir penché un instant vers la répression, la majorité décide de donner satisfaction aux revendications. Le 4 août au soir, c'est la noblesse libérale qui donne le signal et abdique sur l'autel de la nation les distinctions «gothiques» et les privilèges diviseurs, au milieu des ovations générales. La nuit du 4 août, sans doute la plus célèbre de notre histoire, consacre ainsi l'abandon des privilèges et du régime «féodal».

18
Valmy

Le 20 avril 1792, l'Assemblée nationale déclare la guerre au «roi de Bohême et de Hongrie» qui est aussi l'empereur d'Autriche. Décision capitale qui va faire basculer le cours de la Révolution française. Décapitée par l'émigration de 6000 officiers, dépourvue de matériel et commandée par des généraux peu enthousiastes, la guerre commence mal pour l'armée française. En juillet, les Prussiens entrent en guerre aux côtés de l'Autriche et la France est menacée par l'invasion. La patrie est proclamée en danger et, dans la capitale, 15000 volontaires s'enrôlent aussitôt, rejoints par les bataillons marseillais qui chantent le *Chant de guerre pour l'armée du Rhin* composé par Rouget de Lisle (la future *Marseillaise*). Le

3 août, est lu à Paris le manifeste du duc de Brunswick qui promet de livrer Paris à une « subversion totale » si la famille royale reçoit « la moindre atteinte ». C'est brandir le chiffon rouge devant les sans-culottes qui, le 10 août 1792, prennent d'assaut les Tuileries où réside la famille royale. L'Assemblée décide alors de suspendre le roi et d'élire une Convention chargée de rédiger une nouvelle Constitution.
Elle se réunit pour la première fois le 20 septembre, le jour même où, adossée au moulin de Valmy, une armée de sans-culottes reste impassible sous la mitraille des Prussiens et les repousse. Goethe, qui assiste à la rencontre, écrit : « D'aujourd'hui et de ce lieu date une ère nouvelle dans l'histoire du monde. » Le 21 septembre, la royauté est abolie à l'unanimité. Valmy inaugurait de belle manière la naissance de la République.

19
La Vendée

La Révolution de l'été 1789 a soulevé l'enthousiasme dans l'ensemble du royaume. Mais en 1791, les populations de l'Ouest, profondément catholiques, n'acceptent pas la constitution civile du clergé qui fait de leurs curés des fonctionnaires élus. L'année suivante, l'arrestation du roi, qu'ils considèrent toujours de droit divin, les choque. L'exécution de Louis XVI en janvier 1793, puis la levée

en masse pour la guerre aux frontières portent à son comble leur hostilité envers la République.
L'insurrection éclate le 10 mars 1793 et se répand comme une traînée de poudre. Tout l'Ouest s'enflamme : les bandes s'arment de faux et de fourches au son du tocsin. Les paysans se tournent vers la petite noblesse pour les conduire. En Vendée, l'armée de La Rochejaquelein réunit jusqu'à 250 000 paysans armés qui assiègent Nantes en juillet, avant d'être écrasés. En Bretagne, ce sont des bandes de Chouans qui tendent des embuscades et harcèlent les Républicains. La répression est terrible : le décret du 1er août 1793 ordonne la « destruction de la Vendée ». À Nantes, le Représentant Carrier fait noyer 5 000 suspects en les enchaînant sur des barges qu'il fait couler dans la Loire. En 1794, le général Turreau, à la tête de douze colonnes, quadrille la Vendée et extermine sans pitié hommes et femmes, enfants et vieillards.
Enfin, la Convention décide d'une amnistie. La paix est signée au printemps 1795. En juin, les émigrés royalistes débarquent alors à Quiberon, soutenus par la flotte anglaise, pour tenter de ranimer la révolte. Ils sont écrasés par les troupes de Hoche. On estime que cette guerre civile a provoqué la mort de près de 300 000 Français.

20
Napoléon Bonaparte

Peu d'hommes ont suscité autant de passions que Napoléon Bonaparte. La fascination qu'il exerce encore aujourd'hui provient à la fois de sa fulgurante carrière et de l'ensemble des actions qu'il a entreprises pour établir les fondements de la France moderne. Né à Ajaccio le 15 août 1769, un an seulement après le rattachement de la Corse à la France, il est séparé de son milieu familial pour faire des études militaires au collège de Brienne puis à l'École militaire de Paris d'où il sort officier.
Après s'être fait remarquer en reprenant Toulon tombé aux mains des Anglais, il est nommé commandant en chef de l'armée d'Italie en 1796 et comprend aussitôt le parti qu'il peut tirer de ces soldats-citoyens auxquels il faut parler le langage de l'égalité et faire briller la gloire de la patrie. Auréolé par ses victoires en Italie et en Égypte, il est le « sabre » que la bourgeoisie cherche pour rétablir l'ordre et sauver la Révolution du péril monarchiste et du péril jacobin. Devenu Premier Consul au lendemain du coup d'État du 18 Brumaire (9 novembre 1799), il a ces mots qui fixent son programme : « Citoyens, la Révolution est fixée aux principes qui l'ont commencée, elle est finie. » Réorganisant les finances, l'administration et la justice, remettant l'économie en marche et apaisant les querelles religieuses, Bonaparte apparaît bien à une large majorité de Fran-

çais comme le « sauveur » qui a su consolider les acquis de la Révolution.

Toutefois, le couronnement impérial de 1804 semble aussi marquer le rétablissement d'une forme de monarchie ou de dictature militaire. À partir de 1811, commence le temps des crises. En éveil partout en Europe grâce aux conquêtes de la Révolution, le nationalisme se tourne contre la France. En Espagne, Napoléon se heurte pour la première fois à un peuple qui se soulève pour sauvegarder son indépendance et sa liberté. La campagne de Russie se termine en 1812 par une retraite qui se déroule dans des conditions effroyables. En 1814, Napoléon abdique et part en exil à l'île d'Elbe d'où il revient en mars 1815 pour tenter de rétablir son pouvoir. Vaincu à Waterloo le 18 juin 1815, il doit abdiquer une seconde fois avant d'être déporté dans l'île de Sainte-Hélène où il meurt en 1821.

L'épopée est terminée mais la légende napoléonienne commence. Une légende qui nous fait parfois oublier sa tyrannie et les centaines de milliers de Français morts dans ses longues campagnes militaires.

21
Austerlitz

En 1804, l'Angleterre prend la tête d'une troisième coalition qui l'unit à l'Autriche et à la Russie contre la France

napoléonienne. Napoléon concentre la Grande Armée à Boulogne en vue d'un débarquement en Angleterre, mais la flotte française est détruite par la Royal Navy à Trafalgar le 21 octobre 1805. Napoléon se porte alors au-devant des armées austro-russes. À marches forcées, 200000 hommes traversent l'Europe dans un ordre parfait. Ils franchissent le Rhin le 26 septembre, encerclent et capturent 25000 Autrichiens dans Ulm le 20 octobre, et entrent à Vienne le 13 novembre.
Avec 72000 soldats, Napoléon se porte à la rencontre des 90000 Austro-Russes qui avancent en Moravie et les rejoint près du village d'Austerlitz. Voulant persuader l'ennemi qu'il veut se replier, il évacue la position dominante de Pratzen et place le corps d'armée de Davout seul sur sa droite pour barrer la route de Vienne. Le 2 décembre 1805, jour anniversaire du sacre, la bataille s'engage. À sept heures, les colonnes ennemies dévalent du plateau pour balayer Davout dont les soldats résistent héroïquement. Surgissant du brouillard matinal qui les dissimule, les corps d'armée de Soult et de Bernadotte, soutenus par la Garde impériale, gravissent alors les pentes du plateau de Pratzen et prennent les colonnes ennemies de flanc. La victoire est totale : 7800 Français tués ou blessés pour 28500 chez l'ennemi, auxquels s'ajoutent 45 drapeaux et 185 canons dont le bronze sera fondu pour élever la colonne de la place Vendôme.

22
L'Algérie

En 1830, l'Algérie était une province de l'empire ottoman, dirigée par une minorité de Turcs avec le concours de notables indigènes. La conquête de cette province, dont les conséquences allaient être si importantes pour l'histoire de la France, ne correspond pourtant à aucun dessein prémédité. Une sombre affaire de fourniture de blé au dey par des marchands juifs livournais qui réussissent à faire reconnaître à leur créance le caractère de dette de l'État français, l'emportement du dey d'Alger qui frappe le consul français avec son chasse-mouches, un débarquement mené pour relever le prestige d'un gouvernement en bout de course, des milieux commerciaux marseillais désireux de relancer l'activité du « vieux port » : autant de raisons qui amènent à la conquête d'Alger le 5 juillet 1830. La campagne a duré vingt et un jours et 400 hommes sont morts pendant les combats.
Rien ne justifiait au départ une occupation qui allait durer 132 ans et se terminer par une guerre dont la France et l'Algérie gardent encore les traces douloureuses.

23
1848

Le 4 mars 1848, au lendemain de la révolution de février qui renverse la monarchie de Juillet et instaure la IIe République, est établi le suffrage universel qui fait passer le corps électoral de 250 000 à plus de 9 millions d'électeurs. C'est une transformation politique gigantesque qui ne touche cependant pas encore les femmes, si forte est encore la conviction commune qu'elles appartiennent à l'univers naturel de la famille et non pas à la chose publique. Les premières élections au suffrage universel auront lieu le 23 avril 1848, le jour de Pâques, dans les chefs-lieux de canton où la foule se rend souvent en cortège, acompagnée du curé. Le bureau de vote ne comporte ni isoloir ni enveloppes et de très nombreux électeurs sont encore incapables de lire le nom des candidats. Globalement, cependant, la France a voté, « tranquille », conformément à la ligne du gouvernement provisoire : pour une République libérale sans révolution sociale ni réaction monarchique.

24
Victor Schoelcher

Connu pour avoir, à la suite de son voyage aux Antilles en 1840-1841, publié un ouvrage exigeant l'abolition de l'esclavage, Victor Schoelcher est nommé sous-secrétaire d'État à la Marine dans le gouvernement constitué au lendemain de la révolution de 1848 et reçoit la présidence de la commission créée le 4 mars pour abolir l'esclavage dans l'ensemble des colonies françaises. Le décret, promulgué le 27 avril, stipule :

> «Le Gouvernement provisoire,
>
> Considérant que l'esclavage est un attentat contre la dignité humaine ; qu'en détruisant le libre arbitre de l'homme, il supprime le principe naturel du droit et du devoir ; qu'il est une violation flagrante du dogme républicain : Liberté, Égalité, Fraternité.
>
> Considérant que si des mesures effectives ne suivaient pas de très près la proclamation déjà faite du principe de l'abolition, il en pourrait résulter dans les colonies les plus déplorables désordres,
>
> Décrète :
>
> Art. 1er. L'esclavage sera entièrement aboli dans toutes les colonies et possessions françaises, deux mois après la promulgation du présent décret dans chacune d'elles. À partir de la promulgation du présent décret dans les colonies, tout châtiment corporel, toute vente de personnes non libres seront absolument interdits.»

25
Lourdes

Le 11 février 1858, la Vierge Marie apparaît pour la première fois à Bernadette Soubirous (1844-1879) dans la grotte de Massabielle à Lourdes, alors qu'elle ramasse du bois mort. Entre ce mois de février et le mois de juillet, la Vierge apparaît dix-huit fois à la jeune fille, au même endroit, et dialogue avec elle. L'Église ouvre une enquête et constate que la jeune fille transmet le message de la Vierge en utilisant un vocabulaire que sa pauvre éducation ne lui permet pas de connaître. La nouvelle de l'apparition attire une foule de curieux d'abord, de pèlerins ensuite, en provenance de toute l'Europe, qui viennent visiter la grotte de Lourdes et y déposer un cierge. Les prières à la Vierge et la ferveur de la foi provoquent des « miracles », constatés par de nombreux témoins, si bien que la petite préfecture des Pyrénées, dont les eaux ne présentent aucun caractère curatif, devient l'un des lieux les plus fréquentés des Pyrénées dès le milieu du XIXe siècle. Bernadette meurt de la tuberculose dans une communauté religieuse de Nevers. Aujourd'hui encore, un véritable culte lui est rendu. L'Église catholique reconnaît à ce jour soixante-trois guérisons miraculeuses et les pèlerinages de Lourdes attirent chaque année des centaines de milliers de fidèles.

26
Les communards

Du 19 septembre 1870 au 28 janvier 1871, Paris est encerclé par les troupes prussiennes et soumis à un siège particulièrement rigoureux. L'armistice, signé le 28 janvier 1871 par le gouvernement provisoire, est ressenti par la population comme une trahison. Les élections législatives organisées en février aggravent le divorce entre Paris et le reste du pays qui souhaite avant tout la paix. Chef du pouvoir exécutif, Adolphe Thiers prend des mesures qui sont de véritables provocations. Il décide d'installer à Versailles et non à Paris la nouvelle Assemblée, rétablit le paiement des loyers suspendu pendant le siège et fait retirer les canons de la Garde nationale entreposés sur la butte Montmartre.

Le 23 mars, les Parisiens élisent un Conseil général de la Commune qui adopte comme emblème le drapeau rouge, rétablit le calendrier révolutionnaire, réquisitionne les logements vides, suspend le paiement des loyers et se prononce pour un enseignement laïc, gratuit et obligatoire. Le 21 mai 1871, Thiers donne l'ordre à l'armée des « Versaillais » de reconquérir la capitale sur les « communards ». Au terme d'une semaine sanglante où 4 000 communards sont tués et plus de 20 000 arrêtés, la Commune est réprimée de manière féroce. Soulèvement spontané, né pour l'essentiel de la misère et de l'humiliation de la défaite, elle fait ressurgir chez les notables la crainte de la classe laborieuse assimilée à la classe dangereuse. Sa défaite décapite pour longtemps le mouvement ouvrier et est considérée par les marxistes comme la première révolution prolétarienne de l'histoire.

27
Parce qu'il a instauré l'école publique gratuite et obligatoire

Député des Vosges en 1876, ministre de l'Instruction publique de 1879 à 1885 et président du Conseil de septembre 1880 à novembre 1881, puis de février 1883 à mars 1885, Jules Ferry va jouer un rôle essentiel en faisant voter les grandes lois scolaires qui ont pour ambition d'écarter l'influence de l'Église sur la jeunesse et d'établir une école qui enseigne la liberté de pensée, l'amour de la patrie, la foi dans la science, la raison et le progrès.
Deux lois de juin 1881 et mars 1882 établissent le principe d'un enseignement primaire laïc, gratuit et obligatoire de six à quatorze ans, couronné pour les meilleurs par le certificat d'études. Les programmes accordent une large place à la formation civique et à la morale républicaine.
La lettre que Jules Ferry adresse aux instituteurs le 17 novembre 1883 est la « Bible » qui définit l'idéal républicain de cette époque : « Si parfois vous étiez embarrassé pour savoir jusqu'où il vous est permis d'aller dans

votre enseignement moral, voici une règle pratique à laquelle vous pourrez vous tenir. Au moment de proposer aux élèves un précepte, une maxime quelconque, demandez-vous s'il se trouve à votre connaissance un seul honnête homme qui puisse être froissé de ce que vous allez dire. Demandez-vous si un père de famille, je dis un seul, présent à votre classe et vous écoutant, pourrait de bonne foi refuser son assentiment à ce qu'il vous entendrait dire. Si oui, abstenez-vous de le dire, sinon, parlez hardiment : car ce que vous allez communiquer à l'enfant, ce n'est pas votre propre sagesse ; c'est la sagesse du genre humain, c'est une de ces idées d'ordre universel que plusieurs siècles de civilisation ont fait entrer dans le patrimoine de l'humanité. Si étroit que vous semble peut-être un cercle d'action ainsi tracé, faites-vous un devoir d'honneur de n'en jamais sortir ; restez en deçà de cette limite plutôt que vous exposer à la franchir : vous ne toucherez jamais avec trop de scrupule à cette chose délicate et sacrée qui est la conscience de l'enfant. [...] Mais une fois que vous vous êtes ainsi loyalement enfermé dans l'humble et sûre région de la morale usuelle, que vous demande-t-on ? Des discours ? Des dissertations savantes ? De brillants exposés, un docte enseignement ? Non ! La famille et la société vous demandent de les aider à bien élever leurs enfants, à en faire des honnêtes gens. C'est dire qu'elles attendent de vous non des paroles, mais des actes, non pas un enseignement de plus à inscrire au programme, mais un service tout pratique que vous pouvez rendre au pays plutôt encore comme homme que comme professeur. »

28
Alfred Dreyfus

En septembre 1894, une femme de ménage travaillant pour les services secrets français trouve un bordereau non signé dans une poubelle de l'ambassade d'Allemagne à Paris : un officier français propose des renseignements sur le frein hydraulique du nouveau canon de 75. Le capitaine Dreyfus, officier à l'état-major général, est arrêté après analyse graphologique. Jugé à huis clos par un conseil de guerre, Dreyfus est dégradé et déporté au bagne de Cayenne.
Le journal antisémite *La Libre Parole* rend l'affaire publique et déclenche une violente campagne. Dreyfus est juif, il est donc coupable. En 1896, le colonel Picart, à la demande de la famille de Dreyfus, reprend le dossier et identifie le véritable traître, le commandant Esterházy. Ses supérieurs ordonnent à Picart de se taire ! Il informe alors la famille Dreyfus qui obtient le procès d'Esterházy, mais celui-ci est acquitté en janvier 1898. Le 13 janvier, Émile Zola signe un article à la une de *L'Aurore*, le journal de Georges Clemenceau, dans lequel il s'adresse au président de la République. Clemenceau lui trouve un titre : « J'Accuse… ! »

Dreyfusards et anti-dreyfusards se déchirent dans un climat nauséabond d'antisémitisme. Mais il apparaît bientôt que l'instruction et le procès ont été bâclés, et que Dreyfus est innocent. L'armée maintient malgré tout sa position, soutenue par les conservateurs. Un procès en révision a lieu en août 1899, qui condamne à nouveau Dreyfus ; il est toutefois gracié par le président de la République en septembre. Mais ce n'est qu'en 1906 qu'il sera réhabilité et réintégré dans l'armée.

29
Jean Jaurès

Né d'une famille bourgeoise, normalien, professeur de philosophie, Jean Jaurès est progressivement gagné au socialisme. En 1892, il soutient la grève des mineurs de Carmaux qui l'élisent l'année suivante à la Chambre des députés. Excellent tribun, théoricien politique, historien et journaliste, il devient une grande figure du mouvement socialiste qui, refusant la dictature du prolétariat, cherche à concilier socialisme et démocratie, patriotisme et internationalisme.
En 1904, il fonde le quotidien *L'Humanité* et, face à la montée des tensions internationales, s'efforce de lutter contre les menaces de guerre. En 1910, il rédige une proposition de loi consacrée à l'armée nouvelle dans laquelle il préconise une organisation de la Défense nationale

fondée sur la préparation militaire de l'ensemble de la nation. Sur cette photo du 25 mai 1913, il s'adresse aux 150 000 personnes réunies au Pré-Saint-Gervais, à Paris, pour combattre la loi relevant à trois ans la durée du service militaire.
Il est assassiné le 30 juillet 1914 par un nationaliste exalté, quelques jours avant la déclaration de guerre de l'Allemagne à la France (le 3 août).

30
Georges Clemenceau

Après la chute du Second Empire en 1870, Georges Clemenceau (1841-1929) est nommé maire du XVIIIe arrondissement de Paris assiégé par les Prussiens. Il doit démissionner après la Commune de 1871. Il est élu député en 1876 et s'impose comme chef de file des Républicains radicaux à la Chambre. Ses discours incisifs lui valent le surnom de « Tombeur des ministères », puis de « Tigre » pour la férocité avec laquelle il attaque ses adversaires politiques. Il dira de ce surnom : « Tout en mâchoire et peu de cervelle ! Cela ne me ressemble pas. »
Mais Clemenceau est avant tout journaliste. Il fonde plusieurs journaux et entre à *L'Aurore*, journal républicain socialiste fondé en octobre 1897, en pleine affaire Dreyfus. En janvier 1898, Clemenceau mène la lutte pour la réhabilitation de Dreyfus. Il trouve le titre choc du

numéro du 13 janvier où l'article d'Émile Zola figure en une : «J'Accuse… !»
En 1906, Clemenceau est président du Conseil et ministre de l'Intérieur. Mais c'est pendant la Première Guerre mondiale qu'il mène son combat le plus farouche. Fin politique, il siège à la Chambre, soutenant les gouvernements qui se succèdent, ne participant à aucun ministère et ponctuant chaque intervention par : «Les Allemands sont toujours à Noyon.» Son heure sonne en 1917, alors que la France connaît une grave crise morale : grèves dans les usines d'armement, mutineries des «poilus» qui souffrent depuis plus de trois ans, affaires d'espionnage et de corruption… Clemenceau est enfin nommé aux Affaires. En quelques semaines, il insuffle une énergie nouvelle à la nation. Son discours du 8 mars 1918 à la tribune de l'Assemblée fait date : «Mon programme ? Je fais la guerre ! Je fais toujours la guerre !»
Le dernier surnom de cet homme de soixante-dix-sept ans, débordant d'énergie et de malice, est affectueusement trouvé par les poilus qu'il visite au front : il sera pour eux «le Père la Victoire».

31
Verdun

En décembre 1915, le généralissime allemand, Falkenhayn, propose à l'empereur un nouveau plan qui a pour

ambition de « saigner à blanc » l'armée française en l'amenant à engager sur un point du front ses réserves pour mieux les anéantir. Constituant un saillant sur le front français et seulement reliée à l'arrière-pays par une route et une voie ferrée à voie étroite conduisant à Bar-le-Duc, la région fortifiée de Verdun constituait un point d'appui que les Français seraient contraints de défendre jusqu'au dernier homme. De fait, Verdun allait devenir – l'expression est de Philippe Pétain – le « boulevard moral de la France », synonyme de patriotisme, de bravoure et de sacrifice.
La bataille de Verdun résume à elle seule la Grande Guerre, la plupart des divisions françaises y ayant été engagées. Quand, le 12 juillet 1916, l'offensive allemande s'arrête, les Français ont perdu 163 000 hommes, les Allemands, 143 000. Avec les blessés, on compte 770 000 hommes hors de combat. Comme l'a écrit Maurice Genevoix, « Ce que nous avons fait, c'est plus qu'on ne pouvait demander à des hommes, et nous l'avons fait ».

32
La signature de l'armistice qui mit fin aux combats de la Première Guerre mondiale

La guerre s'arrête à la onzième heure du onzième mois de 1918. Elle a duré quatre longues années. La souffrance des poilus a été totale : ils ont été exposés aux intempéries dans les tranchées, ont pataugé dans la boue mêlée aux cadavres de leurs camarades, ont été dévorés par les poux car il leur était impossible de se laver, ont disputé leur pain aux rats, ont crevé de faim, de soif, de froid, de peur… Car cette guerre fut surtout la première guerre industrielle : les obus par millions, les mitrailleuses, les gaz… Les poilus ont tout accepté sans rechigner, partant à l'assaut, à découvert, sous les balles ennemies. Dans cette France encore rurale, ce sont surtout les paysans qui ont fourni la chair à canon. Les colonies aussi ont fourni leurs fils à l'autel du sacrifice français : les tirailleurs sénégalais ou algériens sont tombés par milliers pour reprendre l'Alsace-Lorraine aux « Boches ». Les survivants sont rentrés chez eux, en Afrique, couverts de médailles mais sans pension, retrouvant leur position de colonisés, comme avant.

À la fin du conflit, les belligérants sont exsangues. En quatre ans de guerre, la France, qui comptait 40 millions d'habitants en 1914, a perdu 1 345 000 hommes de dix-huit à cinquante ans. C'est une saignée sans précédent qui creuse un vide béant dans les tranches d'âge masculines de dix-huit à quarante-huit ans. On ne compte plus les veuves et les orphelins au brassard noir. La France est victorieuse, mais à quel prix !

Après la mort du dernier poilu le 12 mars 2008, il a été décidé que le 11 novembre célébrerait désormais l'amitié franco-allemande scellée dans le sang.

33
Les monuments aux morts

Il n'est pas de commune de France sans un monument aux morts de la Grande Guerre. Il n'est pas rare de constater que le malheur a frappé durement certaines familles : les noms d'un père, d'oncles, de fils d'une même famille se suivent alors sur les interminables listes gravées dans le marbre. Les entreprises, les lycées, les administrations et les associations ont aussi perpétué le souvenir de ces « Morts pour la France » en érigeant des monuments. Pour rendre cet hommage possible sur le plan financier, le Parlement a adopté une loi, le 25 octobre 1919, qui accorde une subvention pour l'érection du cénotaphe mais délègue son entretien aux municipalités. Sculpteurs et marbriers des années 1920 ont ainsi vu les commandes affluer.
Les historiens se sont intéressés récemment à la symbolique qui se dégage de ces milliers de monuments commémoratifs. La plupart comportent des frontispices patriotiques dominant les figures martiales de « poilus » debout ou allongés. Plus rares sont ceux délivrant un message pacifiste, comme celui d'Equeurdeville, dans la Manche, représentant une veuve entourée de ses enfants en pleurs, dressés sur un socle sur lequel est écrit : « Que maudite soit la guerre. »
Au plan national, le souvenir est perpétué par la tombe du Soldat inconnu placée depuis 1920 sous l'Arc de

triomphe de l'Étoile à Paris. Sa flamme est ranimée chaque soir par des associations d'anciens combattants, et le 11 novembre, par le président de la République.

34
Pain, Paix, Liberté

Au lendemain de la manifestation du 6 février 1934 où de violents affrontements se produisent place de la Concorde entre les forces de l'ordre et les manifestants parmi lesquels on trouve aussi bien des anciens combattants proches du parti communiste que des membres des ligues d'extrême droite, un réflexe de défense républicaine se manifeste à gauche contre « la menace fasciste ». Fin février 1934, est constitué un Comité de vigilance des intellectuels antifascistes. En juin 1934, les communistes signent un « pacte d'unité d'action » avec les socialistes. En juillet 1935, les radicaux constituent avec les communistes et les socialistes une alliance électorale, le Rassemblement populaire, doublée d'un programme commun autour de trois points essentiels volontairement modérés : le Pain, la Paix, la Liberté. Un programme qui permet de rassembler large, entre des communistes qui gardent leur projet de renverser la société capitaliste et les radicaux, défenseurs de la petite propriété. Aux élections législatives d'avril-mai 1936, le Front populaire obtient 376 sièges contre 222 pour les partis de droite.

Les radicaux sont 106, les «divers gauche», 51, les communistes, 72 et les socialistes, 147.

35
L'appel du 18 juin 1940

«Les chefs qui, depuis de nombreuses années, sont à la tête des **armées** françaises, ont formé un gouvernement. Ce gouvernement, alléguant la défaite de nos armées, s'est mis en rapport avec l'ennemi pour cesser le combat. [...]

Mais le dernier mot est-il dit ? L'espérance doit-elle disparaître ? La défaite est-elle définitive ? **Non** !

Croyez-moi, moi qui vous parle en connaissance de cause et vous dis que rien n'est perdu pour la France. Les mêmes moyens qui nous ont vaincus peuvent faire venir un jour la victoire.

Car la France n'est pas seule ! Elle n'est pas seule ! Elle n'est pas seule ! Elle a un vaste **Empire** derrière elle. Elle peut faire bloc avec l'Empire britannique qui tient la mer et continue la lutte. Elle peut, comme l'Angleterre, utiliser sans limites l'immense industrie des **États-Unis**.

Cette guerre n'est pas limitée au territoire malheureux de notre pays. Cette guerre n'est pas tranchée par la bataille de France. Cette guerre est une **guerre mondiale**. Toutes les fautes, tous les retards, toutes les

> souffrances n'empêchent pas qu'il y a, dans l'univers, tous les moyens nécessaires pour écraser un jour nos ennemis. Foudroyés aujourd'hui par la force mécanique, nous pourrons vaincre dans l'avenir par une force mécanique supérieure. Le destin du monde est là. […] »

En sept semaines de guerre éclair, l'armée française est anéantie. La Wehrmacht entre à Paris le 14 juin 1940 et à Brest le 18. Le 16, le maréchal Pétain s'adresse aux Français à la radio pour leur annoncer, « le cœur serré, qu'il faut cesser le combat » et qu'il a engagé des pourparlers avec l'Allemagne.
À Londres où il est en mission, un Français, général de brigade à titre provisoire, refuse la défaite : Charles de Gaulle (1890-1970). Le Premier ministre Winston Churchill met à sa disposition la radio britannique. Le 18 juin à dix-huit heures, de Gaulle s'adresse aux Français à la BBC ; il les appelle à le rejoindre en Angleterre pour poursuivre le combat. Rares sont ceux qui entendent son appel, qui est rediffusé le lendemain. Dans l'Empire colonial comme depuis la France, les premiers volontaires rallient de Gaulle, comme les 128 hommes de l'île de Sein qui rejoignent l'Angleterre le 25 juin.

36
Philippe Pétain

Pendant la Première Guerre mondiale, le général Philippe Pétain se distingue en organisant la défense de Verdun. Nommé généralissime en 1917, il rétablit la discipline et le moral des troupes après l'échec de l'offensive du chemin des Dames et les mutineries. Promu maréchal de France en 1918, il jouit d'une extraordinaire popularité qui lui permet de faire autorité en matière militaire et de mener une carrière politique. En 1934, il est ministre de la Guerre. En 1939, il est nommé ambassadeur de France en Espagne auprès du maréchal Franco. Après l'effondrement de mai 1940, à quatre-vingt-quatre ans, il est chargé de former le gouvernement et conclut l'armistice avec les Allemands le 22 juin. Le 10 juillet, réunis à Vichy, les parlementaires lui accordent les pleins pouvoirs par 468 voix contre 80 et 20 abstentions. Le lendemain, par des actes constitutionnels, Philippe Pétain s'octroie quasiment tous les pouvoirs, y compris celui de désigner son successeur. L'État français, issu de la déroute militaire et de l'armistice, s'installe à Vichy.

Récusant le modèle de la démocratie libérale laïque et les valeurs de la République, il veut promouvoir la « révolution nationale ». Elle prône le culte du chef, le retour aux hiérarchies dites naturelles (la famille, le métier, la nation), le respect de la religion, la recherche en écono-

mie d'une troisième voie corporatiste qui éviterait les méfaits du socialisme et du laisser-faire libéral. Mais le régime de Vichy est aussi un régime d'exclusion qui limite les droits des citoyens juifs français, interne les Juifs étrangers qui seront livrés aux nazis, interdit la franc-maçonnerie et traque les communistes. Au lendemain de la Libération, Pétain est condamné à mort par la Haute Cour de justice et sa peine commuée en détention perpétuelle à l'île d'Yeu.
Lourdement vaincue en 1940, la conscience ébranlée par les drames de l'Occupation et les actes du régime de Vichy, la France garde toujours une mémoire empoisonnée par ces « années noires » de la Seconde Guerre mondiale.

37
Guy Môquet

Guy Môquet (1924-1941) est le plus jeune des otages de Châteaubriant, fusillés par les Allemands le 22 octobre 1941 en représailles à l'assassinat d'un officier à Nantes le 20 octobre 1941. Fils d'un député communiste de Paris, il a baigné toute son enfance dans une atmosphère familiale militante. À seize ans, Guy Môquet participe à l'action clandestine du Parti. Durant l'été 1940, il colle des calicots anticapitalistes sur les réverbères, lance des tracts pacifistes dans les cinémas avant de s'enfuir à toutes

jambes, jusqu'à son arrestation par la police française le 13 octobre 1940. En vertu des décrets anticommunistes du gouvernement de Vichy, il est maintenu en détention malgré le jugement du tribunal pour enfants qui ordonne sa mise en liberté surveillée. Le 22 juin 1941, Hitler rompt son alliance avec Staline et envahit l'Union soviétique. Le PCF s'engage alors dans un combat sans merci contre l'occupant. En octobre, le Commandement militaire allemand exige la désignation de 50 otages, communistes de préférence, pour punir l'attentat de Nantes. La liste des noms est communiquée par les autorités françaises du gouvernement de Pétain.
La dernière lettre de Guy Môquet, bouleversante, est adressée à ses parents. En janvier 2007, au congrès de l'UMP, Nicolas Sarkozy, alors candidat à la présidence de la République, s'empare du symbole patriotique. Élu président, il décide que cette lettre sera lue chaque année dans les établissements scolaires.

38
Leclerc

Philippe de Hauteclocque (1902-1947) est capitaine pendant la campagne de France du printemps 1940. Il se bat comme un lion, est fait prisonnier, s'évade à deux reprises, traverse la France à bicyclette pour rejoindre Bordeaux et, le 17 juin, comprenant que tout est perdu,

franchit les Pyrénées pour se rendre en Angleterre afin de poursuivre la guerre. Comme de nombreux soldats de la France libre qui veulent protéger leur famille et leurs biens restés en France (Jacques Delmas deviendra ainsi Jacques Chaban), il adopte un nom de guerre : François Leclerc. Le 25 juillet, Leclerc rencontre le général de Gaulle à Londres, qui lui confie la mission de rallier les colonies d'Afrique équatoriale française à la France libre. C'est le début d'une incroyable aventure. À la tête d'une poignée de soldats et de légionnaires, dans de vieux camions cahotants et pratiquement sans armes lourdes, il parvient à rallier le Cameroun et le Tchad, puis remonte dans le désert libyen pour s'emparer de la forteresse italienne de l'oasis de Koufra, le 28 février 1941. À cette date, les armées de l'Axe sont partout victorieuses. Pourtant, devant ses troupes, Leclerc prête le serment solennel de ne cesser le combat que quand les couleurs françaises flotteront sur la cathédrale de Strasbourg.
Il tiendra parole. À la tête de la 2e DB, il participe à la fin de la bataille de Normandie, libère Paris le 25 août 1944, puis Strasbourg le 23 novembre. Poursuivant le combat jusqu'en Bavière, il s'empare du chalet d'Hitler à Berchtesgaden en mai 1945. Leclerc signera l'acte de capitulation du Japon au nom de la France, le 2 septembre 1945. Nommé en Indochine, il tentera en vain de trouver un accord politique avec Hô Chi Minh pour éviter une guerre d'indépendance avec le Vietminh, puis sera nommé en Afrique du Nord où il meurt dans un

accident d'avion. Par décret du 23 août 1952, Philippe Leclerc de Hauteclocque sera élevé à la dignité de maréchal de France à titre posthume.

39
Au Vél d'Hiv

Dès le mois de septembre 1940, le régime de Vichy promulgue une série de lois qui permettent de recenser les Juifs, de les identifier en les obligeant à porter une étoile jaune et de les exclure des grands corps de la fonction publique. Le 29 mars 1941, le Commissariat général aux questions juives est créé pour veiller à l'application d'une législation qui devance les exigences de l'occupant allemand. En janvier 1942, la conférence réunie à Wannsee par le chef SS Reinhard Heydrich organise la Solution finale au problème juif, en décidant de les exterminer dans les camps de la mort. En juillet 1942, les nazis réclament 100 000 Juifs de France. Négociant avec la Gestapo, René Bousquet, secrétaire général à la Police, assure que la police française arrêtera les Juifs dans toute la France. Le chef du gouvernement Pierre Laval propose que les enfants de moins de seize ans soient déportés avec leurs parents. Les 16 et 17 juillet 1942, au cours d'une opération au nom de code « Vent printanier », la police française arrête 12 884 Juifs, dont 4 115 enfants, en région parisienne. La plupart sont parqués au Vélodrome d'hiver de

Paris, avant d'être internés puis déportés à Auschwitz. Au total, ce furent plus de 75 000 Juifs dont environ 23 000 français qui furent victimes de la Solution finale.

40
Jean Moulin

Lorsque Jean Moulin (1899-1943) est parachuté en France occupée le 21 mars 1943, il sait que la mission que le général de Gaulle lui a confiée sera difficile. Le chef de la France libre l'a chargé d'unifier les mouvements de résistance sous son autorité au sein du Conseil national de la Résistance, et de former une Armée secrète qui combattra les Allemands sur le sol français. Car la Résistance est constituée de nombreux mouvements, plus ou moins autonomes, qui ne reconnaissent pas tous l'autorité de la France libre. Or le général de Gaulle veut que tous les mouvements soient représentés au sein du CNR qui doit préparer le programme politique à mettre en œuvre après la Libération.
À force d'énergie, de persuasion et de compromis, Jean Moulin réussit à unifier la Résistance. Il est arrêté par la Gestapo le 21 juin 1943 : trahison ? négligences ? Le mystère demeure sur cette arrestation qui a lieu à Caluire, dans la banlieue de Lyon. Jean Moulin est identifié comme le chef de la Résistance et affreusement torturé par Klaus Barbie. Sa mort, le 8 juillet, dans le train qui

l'emmène en Allemagne pour être interrogé à Berlin est aussi une énigme. S'est-il suicidé pour ne pas parler ? Est-il mort des suites des coups de Barbie ? Pierre Brossolette poursuivra sa mission jusqu'à sa propre arrestation et son suicide en mars 1944.
Les cendres de Jean Moulin reposent au Panthéon. Lors d'une cérémonie grandiose, sous des bourrasques de pluie et en présence du président de la République, Charles de Gaulle, André Malraux prononce le 19 décembre 1964 un discours inoubliable, faisant de Jean Moulin le symbole de toute la Résistance, de ces soldats de l'ombre qui sauvèrent l'honneur des Français en sacrifiant leur vie.

41
Les municipales d'avril 1945

Quand le gouvernement provisoire de la République, réuni le 21 avril 1944 à Alger (la France est toujours occupée), rend une ordonnance qui donne aux Françaises le droit de voter et d'être élues, il y a près d'un siècle que le suffrage universel masculin a été instauré par la IIe République et vingt-quatre ans que les Anglaises votent !
Le rôle des femmes dans la Résistance a fait éclater au grand jour l'injustice aberrante que subissent ces citoyennes, privées du droit fondamental à l'expression démocratique. À la fin de la Première Guerre mondiale,

malgré leur participation à l'effort de guerre, le projet de loi accordant le droit de vote aux Françaises est rejeté par le Sénat : à droite, on ne veut pas les voir se mêler de politique ; à gauche, on se méfie de l'influence du clergé sur elles.
En 1936, Léon Blum nomme Cécile Brunschvicg (Éducation nationale), Suzanne Lacore (Protection de l'enfance) et Irène Joliot-Curie (Recherche scientifique) sous-secrétaires d'État du gouvernement du Front populaire.
Mais les Françaises votent pour la première fois aux élections municipales du 21 avril 1945 : elles représentent 56 % des électeurs, car plus d'un million d'hommes sont toujours prisonniers en Allemagne. Les élues sont rares. Le 21 octobre 1945, 33 femmes sont élues députés (sur 627 !) lors des élections législatives. Depuis le 6 juin 2000, une loi sur la parité hommes/femmes module les aides publiques accordées aux partis politiques en fonction de la mixité de leur représentation, mais elle peine à trouver une réalité.

42
La « Sécu »

« La Sécurité sociale est la garantie donnée à chacun qu'en toutes circonstances, il disposera des moyens nécessaires pour assurer sa subsistance et celle de sa famille dans des conditions décentes. » Ainsi Alexandre Parodi, ministre

du Travail, définissait-il en 1945 l'ambition des pères fondateurs de ce qui allait devenir familièrement la « Sécu ». Un programme qui répondait à celui du Conseil national de la Résistance adopté en mars 1944, et qui prévoyait après la victoire un « plan complet de Sécurité sociale, visant à assurer à tous les citoyens des moyens d'existence dans tous les cas où ils sont incapables de se les procurer par le travail ». Pour Pierre Laroque, le directeur général des Assurances sociales, un haut fonctionnaire passé par la Résistance et l'engagement dans les rangs des Forces françaises libres, il fallait offrir aux salariés une protection complète en cas de maladie, de maternité, de vieillesse et d'accident. Une volonté qui s'inscrivait dans un mouvement de grande ampleur né de la guerre et qui visait, selon le président américain Roosevelt ou le Britannique lord Beveridge, à libérer les masses du besoin et de l'insécurité de l'existence.
Instituée par les ordonnances d'octobre 1945, la « Sécu », institution majeure de la France contemporaine, marquait ainsi la naissance d'un État-providence dont les dépenses représentent aujourd'hui plus d'un tiers du PIB !

43
À Rome

Depuis 1945, l'Europe est divisée en deux : les pays de la partie occidentale ont été libérés du nazisme par les

Anglo-Américains, tandis que la partie orientale est passée directement de l'occupation allemande à la domination soviétique. Selon l'expression de Winston Churchill, un « rideau de fer » s'est abattu, qui sépare le continent. À l'Ouest, des hommes politiques comme le président du Conseil italien De Gasperi, le diplomate belge Spaak, le chancelier allemand Adenauer et les ministres français Bidault, Schuman et Monnet, veulent bâtir une Europe pacifiée et unie autour d'institutions communes.
Dès 1951, la France, la RFA, l'Italie et le Benelux adhèrent à la CECA qui place les productions de charbon et d'acier sous une autorité supranationale. Mais l'idée phare est la constitution d'un vaste marché commun qui supprime les barrières douanières et instaure une coordination des politiques économiques. Le 25 mars 1957, les six ministres des Affaires étrangères des pays membres de la CECA signent à Rome le traité instaurant la Communauté économique européenne. La CEE est née : elle définit les politiques par secteurs et s'attache notamment à garantir les prix agricoles par une politique commune. Les Six s'accordent également sur la création d'Euratom qui vise « à la formation et à la croissance rapide des industries nucléaires » pour garantir l'indépendance énergétique.
Le traité de Rome a été supplanté le 1er décembre 2009 par l'entrée en vigueur du traité de Lisbonne qui dote l'Union européenne l'un embryon de pouvoir exécutif.

44
Arlette Laguiller

En 1974, Arlette Laguiller (née en 1940) est la première femme à se présenter devant les électeurs pour l'élection à la présidence de la République. Militante, porte-parole du mouvement trotskiste Lutte ouvrière, elle obtient 595 247 voix (2,33 % des suffrages). « Arlette », comme les Français l'appellent avec affection, se présente en 1981, en 1988, en 1995, en 2002 et, pour la dernière fois, en 2007.
Son programme de défense des intérêts du monde du travail ne varie pas entre ces dates. Invariablement, elle s'adresse aux Français par un « Travailleuses, travailleurs » qui tranche avec le traditionnel « Mes chers compatriotes » des autres candidats. Elle obtient son meilleur score en 1995 avec 5,30 % des suffrages.
En 2007, la représentante du parti socialiste Ségolène Royal est la première femme à participer au second tour de l'élection, face à Nicolas Sarkozy. Elle est battue en obtenant 46,94 % des suffrages.

45
François Mitterrand (1916-1996)

Né dans une famille de la moyenne bourgeoisie catholique et conservatrice, avocat, François Mitterrand est fait

prisonnier en Allemagne en 1940 et s'évade en 1941. Il travaille ensuite au Commissariat aux prisonniers à Vichy, avant de s'engager dans la Résistance au début de 1943. Député de la Nièvre en novembre 1946, il adhère à l'UDSR (Union démocratique et sociale de la Résistance) qu'il préside de 1953 à 1958. Il occupe dix postes ministériels durant la IVe République, dont le ministère de l'Intérieur dans le gouvernement de Pierre Mendès France. En 1958, il condamne le retour du général de Gaulle au pouvoir et la Constitution de la Ve République. En décembre 1965, il se présente à l'élection présidentielle où il est battu par le général de Gaulle.
En 1971, il prend la direction du parti socialiste au congrès d'Épinay et s'allie au parti communiste sur un « programme commun de gouvernement ». Battu une nouvelle fois aux élections présidentielles de 1974 par Valéry Giscard d'Estaing, il est élu président de la République le 10 mai 1981, puis réélu en 1988. Ses deux mandats sont marqués par deux « états de grâce ». Entre mai 1981 et février 1983, la peine de mort est abolie, la cinquième semaine de congés payés est adoptée et la retraite est fixée à 60 ans. De mai 1988 à juin 1990, le RMI est instauré et la question calédonienne est résolue. Mais les mécomptes économiques entraînent à chaque fois un revirement de la politique marqué par le succès de la droite aux élections législatives de 1986 et de 1993.

Institutions, valeurs, symboles

46

Les hommes naissent et demeurent libres et égaux en droits. Les distinctions sociales ne peuvent être fondées que sur l'utilité commune.

Adoptée par l'Assemblée nationale constituante le 26 août 1789, la Déclaration des droits de l'homme et du citoyen définit ce que Rabaut Saint-Étienne, pasteur et député nîmois, appelle « l'alphabet politique d'un monde nouveau ». Ses 17 articles condensent les idées-forces développées par les Lumières et dont les antécédents se trouvent dans la pétition rédigée en 1689 par le Parlement d'Angleterre et la Déclaration d'indépendance des États-Unis proclamée en 1776. Mais, contrairement à la Déclaration américaine, elle se veut universelle, puisqu'elle s'adresse aux hommes de tous les temps et de tous les pays qui « naissent et demeurent libres et égaux en droits ». L'importance de cette affirmation, inscrite dans l'article 1, signe une rupture éclatante avec le passé et marque le fondement de la démocratie moderne. Affirmation d'une certaine idée de l'homme et de la société, la Déclaration va être diffusée dans toute l'Europe parce qu'à l'époque, le français est la langue de l'élite européenne.

47
1880

« Liberté, Égalité, Fraternité » : cette devise de la République française n'apparaîtra sur le fronton des édifices publics qu'à l'occasion de la célébration du 14 juillet 1880. Elle figure dans les Constitutions de 1946 et de 1958, et fait aujourd'hui partie d'un patrimoine que nul ne songe à contester. Il aura donc fallu attendre un siècle pour que ces trois mots finissent par s'imposer et devenir le symbole de l'identité nationale. Encore fallait-il en déterminer le bon ordre. Voltaire avait donné le sien en écrivant :

> « Nous sommes tous **égaux** sur des rives si chères,
> Sans rois et sans sujets, tous **libres** et tous **frères**. »

Aux premiers jours de la Révolution de 1789, on voit fleurir les formules ternaires chères aux francs-maçons : « Union, Force, Vertu » ou « Force, Égalité, Justice », ou encore « Liberté, Sûreté, Propriété ». Si Liberté et Égalité semblent rapidement s'imposer, il faudra attendre la révolution de 1848 pour que surgisse Fraternité, un mot qui n'allait pas de soi. Si, en effet, la liberté et l'égalité pouvaient être perçues comme des droits, la fraternité est une obligation de chacun vis-à-vis d'autrui. Une obligation qui traduit bien l'esprit de la révolution de 1848, un esprit auquel s'associe alors le clergé qui peut adhérer à ce devoir du citoyen déjà inscrit dans la Constitution de 1795 : « Ne faites pas à autrui ce que vous ne voudriez pas qu'on vous fît. Faites constamment aux autres le bien que vous voudriez en recevoir. »
Autant dire que personne, aujourd'hui, ne songe à remettre en cause une devise qui mit tant d'années à incarner la France à laquelle chacun aspirait. Liberté, c'est-à-dire pouvoir faire tout ce qui ne nuit pas aux droits d'autrui. Égalité, qui veut dire que la loi est la même pour tous. Fraternité, car sans elle, la liberté et l'égalité conduisent à l'égoïsme.

48
La monarchie

L'histoire du drapeau bleu-blanc-rouge reste entourée de mystère. La version la plus communément admise, diffusée par la légende, fait naître l'emblème tricolore le 17 juillet 1789. Reçu à l'Hôtel de Ville de Paris trois jours après la chute de la Bastille, en présence de La Fayette, Louis XVI demande à Bailly, le maire de Paris, de placer à son chapeau, aux côtés de la cocarde blanche, un ruban bleu et rouge, les couleurs de la ville adoptées par la garde municipale parisienne qui avait été la première à pénétrer dans la Bastille.

Si, toutefois, le bleu et le rouge ne se discutent pas, le blanc pose problème. Dans les textes de 1789, le blanc n'est pas désigné comme couleur du roi, mais comme couleur de la France ou du royaume. La monarchie capétienne ne se reconnaissait en fait que dans les seules armes de sa maison : les trois fleurs de lys d'or sur fond d'azur. Ce n'est que plus tard que cette couleur a été désignée comme couleur du roi. Ce n'est que bien plus tard encore qu'apparut la légende de l'association de la couleur du roi avec celles de Paris. La preuve en est que la République, en 1792, ne songea pas à supprimer le blanc des trois couleurs. Ce furent même les Montagnards qui, s'inspirant d'un dessin de David, précisèrent dans un décret du 15 février 1794 que « le pavillon national sera formé des trois couleurs nationales, disposées en trois bandes égales, posées verticalement de manière que le bleu soit attaché à la gauche du pavillon, le blanc au milieu et le rouge flottant dans les airs ».

Brandi aux moments forts de l'Histoire, le drapeau tricolore est l'emblème qui manifeste aussi bien l'allégresse que l'appel à la Résistance. Ainsi, le 14 juillet 1944, Radio Londres exhorte les Français à « hisser les drapeaux tricolores sur les bâtiments publics, les clochers et les cheminées d'usine ».

49
La prise de la Bastille

Depuis le mois de mai 1789, Paris est en effervescence. Réunis à Versailles depuis le 5 mai à la demande du roi, les députés de la noblesse, du clergé et du tiers état, pleins d'espérance, souhaitent tous établir, comme aux États-Unis, une Constitution qui limiterait les pouvoirs de la monarchie et engagerait les réformes nécessaires en matière financière. À Paris, la crise économique ouverte en 1787 a multiplié le nombre de chômeurs et fait exploser le prix du pain. Le 11 juillet, Louis XVI renvoie Necker, le populaire ministre des Finances. Le 12, la révolte gronde. Au Palais-Royal, Camille Desmoulins appelle les Parisiens à s'armer pour résister aux troupes rassemblées par le roi. Le 14, la foule se rend aux Invalides et se fait livrer d'un coup 32 000 fusils. Puis elle se rend à la Bastille dans l'espoir d'une opération identique. Sans doute aussi parce qu'avec ses huit grosses tours barrant l'entrée du faubourg Saint-Antoine, cette prison légendaire est le symbole le plus détesté de l'« ancien régime ». Le gouverneur de Launay, qui refuse de faire tirer sur les assaillants, négocie. Mais une suite de malentendus aboutit à une fusillade qui fait une centaine de morts. Le gouverneur est massacré et sa tête, fichée au bout d'une pique, promenée dans les rues de Paris. Le prévôt des marchands Flesselles subit le même sort. Dans une biographie de son père, le comte de la Rochefoucauld-Liancourt raconte que ce dernier aurait réveillé le roi en pleine nuit pour faire le récit détaillé de la journée. « C'est une révolte », aurait dit Louis XVI. « Non, sire, c'est une révolution », aurait répondu La Rochefoucauld-Liancourt. Il faudra toutefois attendre 1880 pour que les députés républicains, appelés à adopter une « date glorieuse » comme fête nationale, choisissent le 14 juillet parmi toutes les dates qui leur étaient proposées. Sans doute avaient-ils en tête le poème écrit par Victor Hugo le 14 juillet 1859 :

> « C'est le quatorze juillet.
> À pareil jour, sur la terre,
> La liberté s'éveillait
> Et riait dans le tonnerre.
> Peuple, à pareil jour râlait
> Le passé, ce noir pirate ;
> Paris prenait au collet
> La Bastille scélérate.
> À pareil jour, un décret
> Chassait la nuit de la France,
> Et l'infini s'éclairait
> Du côté de l'espérance. »

50
La Marseillaise

> « Allons enfants de la patrie,
> le **jour de gloire** est arrivé.
> Contre nous de **la tyrannie**,
> l'étendard sanglant est levé.
> Entendez-vous dans les **campagnes**,
> mugir ces féroces soldats ?
> Ils viennent jusque dans nos bras,
> **égorger** nos fils et nos compagnes. »

Composé à Strasbourg en avril 1792, le *Chant de guerre pour l'armée du Rhin* est devenu « chant national » par décret du 14 juillet 1795 et l'hymne national de la France depuis la loi du 14 juillet 1879.
Écrite par Rouget de Lisle, un officier du génie, compositeur amateur, *La Marseillaise* doit son succès au fait qu'elle exalte, à travers la liberté, les valeurs d'un monde nouveau. Hymne simple et touchant, dans le goût humaniste du temps, mais en même temps « saisissant et terrible », selon le mot de Goethe, elle est un appel à l'extermination des « tyrans » et des « vils » despotes. Rencontre exceptionnelle entre les aspirations des élites et la ferveur d'un peuple, elle n'a jamais été supplantée ni même concurrencée. Hymne de la gauche repris par le Front populaire, hymne de la droite chanté par le général de Gaulle le jour de la libération de Paris en 1944, *La*

Marseillaise s'impose à l'évidence comme l'expression la plus forte d'une conscience nationale.

51
Marianne

Figure allégorique, la Marianne au bonnet phrygien, bonnet des esclaves affranchis de la Grèce antique, symbolise à partir de 1792 la République combattante. Au XIXe siècle, elle représente toujours la liberté, comme en témoigne en 1830 *La Liberté guidant le peuple* de Delacroix. Elle figure sur les timbres-poste dès leur apparition en 1849 et, en 1870, à l'avènement de la IIIe République, la coutume s'installe d'orner les salles de mairie d'un buste de Marianne. Sous le régime de Vichy, on descelle les statues la représentant au fronton des mairies et l'effigie du maréchal Pétain la remplace sur les timbres-poste. Elle reprend sa place à la Libération et triomphe sous la Ve République. À partir de 1969, les bustes sont sculptés à l'effigie d'une femme célèbre : Brigitte Bardot, Catherine Deneuve puis Laetitia Casta. Assimilée à la République et à la nation française, elle figure sur les timbres, les pièces et les cachets officiels.

52
Le coq

Les Allemands ont leur aigle, les Britanniques arborent le léopard et les Vénitiens le lion. Les Français, quant à eux, présentent le coq. Même si la majorité d'entre eux manifestent une certaine réticence à l'égard de cet oiseau de basse-cour, pour tous les étrangers, le coq est bien l'emblème de la France, qu'elle le veuille ou non.
Ce sont les Romains qui, les premiers, ont associé la Gaule et le coq. En latin, en effet, *gallus* signifie «le coq» mais aussi «le Gaulois». Le coq ressurgit au XIIe siècle : il s'agit pour les ennemis du royaume de France, en particulier les Anglais, d'assimiler ce gallinacé vaniteux et batailleur, toujours monté sur ses ergots, à un peuple jugé stupide, querelleur et lubrique. Heureusement, une autre tradition, chrétienne cette fois, attribue au coq des vertus de courage et de sagesse : il est l'animal qui veille et prévient de l'arrivée du jour, comme pour dissiper les ténèbres. Pendant la Révolution, c'est un coq rural qui s'impose plus que la cocarde ou la pique pour s'opposer aux fleurs de lis de la monarchie. Méprisé par Napoléon qui lui préfère l'aigle, puis tombé en disgrâce sous la Restauration, il faut attendre la IIIe République pour qu'il soit réhabilité.
Dans le domaine des sports, le coq conquiert son rang quasi officiel depuis qu'en 1914, un certain Parenteau, champion de France de sprint, l'arbora sur son maillot. En rugby,

sport qui garde de solides attaches rurales, les joueurs de l'équipe de France sont toujours qualifiés de « coqs ».
Traversant ainsi tous les régimes avec des fortunes diverses, le coq apparaît finalement comme un animal de compromis, venu du fond des siècles et ayant traversé tous les régimes sans heurter trop ouvertement telle ou telle sensibilité. Un véritable exploit qui lui vaut bien la reconnaissance de la patrie !

53
Le Code civil

Arrivé au pouvoir en 1799, Napoléon Bonaparte réussit en quelques mois à élaborer un Code civil qui unifie toutes les pratiques juridiques françaises. Un vieux rêve auquel la monarchie absolue n'avait jamais pu parvenir. Ses 2281 articles, rédigés dans une langue claire et précise, proclament le respect des libertés individuelles, assurent la protection de la propriété, affirment la place centrale de la famille… mais aussi l'exclusion des enfants naturels et l'inégalité entre l'homme et la femme, dont Bonaparte disait qu'elle « était la propriété de son mari comme l'arbre à fruits celle du jardinier » !
En vigueur pour l'essentiel jusqu'au début des années 1970, le Code civil a sûrement fait plus pour la gloire de Napoléon que toutes ses campagnes militaires. Il le doit pour une large part à la sagesse de ceux qui, sans esprit de système,

se sont efforcés, après dix ans de passions révolutionnaires, de concilier l'ancien et le nouveau, la tradition et la Révolution, de modérer la Révolution française par un zeste d'Ancien Régime. Dans le discours préliminaire du projet, on peut lire : « De bonnes lois civiles sont le plus grand bien que les hommes puissent donner et recevoir [...] Les vertus privées peuvent seules garantir les vertus publiques : et c'est par la petite patrie, qui est la famille, que l'on s'attache à la grande ; ce sont les bons pères, les bons maris, les bons fils qui font les bons citoyens. »

54
Le droit du sol

Le droit du sol (ou *jus soli* dans sa version latine) est la règle de droit accordant la nationalité à une personne physique née sur un territoire national, indépendamment de la nationalité de ses parents. Elle s'oppose au droit du sang, selon lequel la nationalité est accordée exclusivement aux enfants nés de parents possédant eux-mêmes la nationalité concernée. En France, la nationalité peut s'acquérir de quatre façons :

• par le droit du sol, devient automatiquement français l'enfant qui est né en France. Pour l'enfant né en France de parents étrangers, la nationalité devient de plein droit à 18 ans ;

• par le droit du sang, est considéré comme français tout enfant dont au moins l'un des deux parents est français ou devient français ;
• par la procédure dite de « naturalisation », un étranger majeur, résidant habituellement sur le sol français depuis au moins cinq ans, peut demander à être naturalisé ;
• par le mariage : depuis la loi du 24 juillet 2006, un étranger uni à un conjoint français depuis quatre ans peut demander à acquérir la nationalité française par déclaration.

Seuls un certain nombre de pays américains (Argentine, Brésil, Canada, Colombie, États-Unis, Jamaïque, Mexique, Uruguay) appliquent le droit du sol de façon stricte. C'est Benjamin Franklin et George Washington qui le justifiaient en déclarant en 1775 : « Le droit du sol est cette dignité qui est donnée à tout homme qui vit, travaille et paye ses taxes dans les colonies, d'être accepté comme un citoyen à part entière, pourvu du droit d'exprimer des opinions et de participer aux décisions le concernant, quelles que soient ses origines, sa foi ou sa fortune. » En Allemagne, qui applique depuis toujours le droit du sang, un droit du sol a été introduit depuis 2000 pour accorder aux enfants d'immigrés la nationalité allemande sous réserve que les parents aient vécu de façon durable sur le territoire allemand.

55
Discours d'Ernest Renan

« Une nation est une âme, un **principe spirituel**. Deux choses qui, à vrai dire, n'en font qu'une, constituent cette âme, ce principe spirituel. L'une est dans le passé, l'autre dans le présent. L'une est la possession en commun d'un riche legs de souvenirs ; l'autre est le consentement actuel, le **désir de vivre ensemble**, la volonté de continuer à faire valoir l'héritage qu'on a reçu indivis. L'homme, Messieurs, ne s'improvise pas. La nation, comme l'individu, est l'aboutissant d'un long passé d'efforts, de sacrifices et de dévouements. Le culte des ancêtres est de tous le plus légitime ; les ancêtres nous ont faits ce que nous sommes. Un passé héroïque, des grands hommes, de la gloire (j'entends de la véritable), voilà le **capital social** sur lequel on assied une idée nationale. Avoir des gloires communes dans le passé, une volonté commune dans le présent ; avoir fait de grandes choses ensemble, vouloir en faire encore, voilà les conditions essentielles pour être un **peuple**. On aime en proportion des sacrifices qu'on a consentis, des maux qu'on a soufferts. On aime la maison qu'on a bâtie et qu'on transmet. Le chant spartiate : "Nous sommes ce que vous fûtes ; nous serons ce que vous êtes" est dans sa simplicité l'hymne abrégé de toute patrie. »

Né à Tréguier (Côtes-d'Armor) en 1823, nommé en 1861 professeur d'hébreu au Collège de France et élu en 1878 à l'Académie française, convaincu que la science seule permet de connaître la vérité, Ernest Renan apparaît comme l'une des gloires de la vie intellectuelle française dans la seconde moitié du XIXe siècle. Sa *Vie de Jésus*, en particulier, a un énorme retentissement. Dans sa conférence du 11 mars 1882 à la Sorbonne, il propose une définition de la nation qui va faire date. Alors que simultanément, les Allemands proposent une définition de la nation qui s'appuie sur la race, Renan la définit comme une union des volontés, le résultat de l'adhésion volontaire de ses membres, une volonté de vivre ensemble en partageant des valeurs communes.

> « L'homme n'est esclave ni de sa race, ni de sa langue, ni de sa religion, ni du cours des fleuves, ni de la direction des chaînes de montagnes, écrivait-il. Une grande agrégation d'hommes, saine d'esprit et chaude de cœur, crée une conscience morale qui s'appelle une nation. »

56
83

Durant l'été 1789, l'Assemblée nationale décide d'un nouveau découpage administratif du royaume, afin de mettre en œuvre ses grandes réformes. Cette décision a pour objet de mettre fin à l'enchevêtrement qui prévalait sous

l'Ancien Régime, où chaque administration avait son propre découpage. Une commission est chargée de délimiter les départements, qui seront les mêmes pour tous les services et dont le chef-lieu sera accessible en moins d'une journée de cheval.
On pense d'abord dessiner 81 carrés exacts de 18 lieues de côté, divisés chacun en neuf districts. Mais cette proposition ne tient pas compte des réalités géographiques comme le relief ou les cours d'eau : elle est rejetée par l'Assemblée en novembre 1789. Le géographe Cassini est alors chargé du découpage, prenant pour base les anciennes provinces et le tracé imposé par les éléments naturels. Son découpage en 83 entités territoriales est accepté par l'Assemblée en 1790, et les départements seront officiellement créés avec la Constitution du 14 septembre 1791.
Aujourd'hui, la France compte 100 départements, départements d'outre-mer compris, mais cette division administrative est remise en question au profit des régions. Pourtant, les Français demeurent très attachés à leur appartenance départementale : il suffit pour s'en convaincre d'observer le débat qui a entouré le nouveau système de numérotation des plaques minéralogiques automobiles : le numéro du département, pourtant facultatif, figure sur presque tous les véhicules.

57
La Légion d'honneur

Créée le 19 mai 1802 par Bonaparte, alors Premier Consul, pour attacher au nouveau régime une élite distinguée par ses mérites, la Légion d'honneur doit, selon Louis Roederer, chargé de présenter le projet, « effacer les distinctions nobiliaires qui plaçaient la gloire héritée avant la gloire acquise et les descendants des grands hommes avant les grands hommes. C'est une institution morale qui ajoute de la force et de l'activité à ce ressort de l'honneur qui meut si puissamment la nation française ». Difficilement approuvée par le Tribunat qui lui reprochait d'être contraire à l'esprit de la République, elle se compose à l'origine d'un grand conseil d'administration formé de 7 grands officiers régissant 16 cohortes, elles-mêmes composées de 7 grands officiers, 20 commandants, 30 officiers et 350 légionnaires nommés à vie par le grand conseil. La Légion d'honneur rencontra un immense succès. En 1808, on comptait 20275 légionnaires. Aujourd'hui, ils sont plus de 200000.

Au départ, la décoration consistait en une étoile formée de cinq rayons doubles surmontés d'une couronne de laurier comportant la figure de l'Empereur. La IIIe République y gravera une République ceinte d'une couronne de chêne.

La devise de l'ordre de la Légion d'honneur est « Honneur et Patrie ». Le premier devoir du légionnaire est d'être fidèle à cette devise et de se comporter d'une manière particulièrement honorable dans la vie. On prête toutefois à Napoléon ce mot cynique : « La Légion d'honneur est un hochet, et c'est avec des hochets que l'on mène les hommes. »

58
Le baccalauréat

Le 17 mars 1808, Napoléon Ier signe le décret qui instaure le baccalauréat pour accéder à l'enseignement supérieur. Les garçons âgés d'au moins seize ans peuvent être « interrogés sur tout ce qu'on enseigne dans les hautes classes des lycées » qui ont été créés en 1802, au nombre de trente.
Les épreuves sont organisées pour la première fois l'année suivante. L'examen, un oral, porte sur les auteurs grecs et latins, la rhétorique et la philosophie. L'histoire et la géographie seront ajoutées en 1820, les mathématiques et la physique en 1821. Cette première épreuve n'est pas sanctionnée par des notes mais par des appréciations : « très bien », « bien », « assez bien » ou « mal ». En 1809, ils sont 31 candidats à réussir l'examen en obtenant les mentions « très bien » ou « bien ». Ces premiers bacheliers sont tous des garçons. Il faut attendre 1861 pour qu'une candidate de sexe féminin, Julie-Victoire Daubié, âgée de trente-sept ans, obtienne le baccalauréat.
En 2009, 622 322 candidats s'inscrivent à l'épreuve, âgés de treize ans (pour le plus jeune) à soixante-dix-huit ans

(pour le plus âgé). Ils sont 163 085 à passer un bac technologique, et 127 662 un bac professionnel, répartis en 65 spécialités. Au total, 535 600 candidats « décrochent » leur baccalauréat en 2009. Un diplôme qui évoque sans doute la *bacca laurea*, la « baie de laurier » qui, dans l'Antiquité, symbolisait la victoire.

59
La laïcité

La laïcité est un principe politique qui garantit la neutralité réciproque des pouvoirs spirituels et religieux par rapport aux pouvoirs politique et administratif. Ce principe fondamental garantit la liberté de conscience de tous les citoyens. Les bases de la laïcité sont posées en France dès la Déclaration des droits de l'homme et du citoyen de 1789 qui instaure dans son article 10 que « Nul ne doit être inquiété pour ses opinions, même religieuses, pourvu que leur manifestation ne trouble pas l'ordre public établi par la loi », mais il faut attendre 1946 pour qu'elle soit inscrite dans le préambule de la Constitution de la IVe République. Le concept de laïcité trouve ses origines dans la philosophie des Lumières. Dans *Le Contrat social*, Jean-Jacques Rousseau en fait un rempart contre l'arbitraire, dans la mesure où elle est établie par la loi et qu'elle est garante de liberté. Mais l'étape essentielle est la loi du 9 décembre 1905 qui établit la séparation de l'Église et de l'État.

Il y est inscrit que «la République ne reconnaît, ne finance ni ne subventionne aucun culte». Cette loi donna lieu à de violents incidents dans toute la France au moment de l'inventaire des biens du clergé prévu par son article 3, et fut condamnée par une encyclique du pape Pie X en 1906. Elle ne s'appliqua pas dans les départements d'Alsace-Lorraine (Haut-Rhin, Bas-Rhin et Moselle) alors territoires allemands et qui sont toujours régis, depuis deux lois de 1919 et de 1924, par un statut dérogatoire les maintenant sous le régime du Concordat institué sous Napoléon Bonaparte.
C'est sans doute dans le domaine scolaire que les Français se posent le plus de questions sur cette laïcité républicaine à laquelle ils sont attachés. Depuis 1989, en particulier, le port du «foulard islamique» à l'école a relancé le débat. Dans un avis rendu le 27 novembre 1989, le Conseil d'État établit que le port de symboles religieux dans les établissements scolaires de la République française n'est pas incompatible avec le principe de laïcité, pourvu qu'il ne revête pas un caractère «ostentatoire ou revendicatif», ni ne devienne un acte de pression, revendicatif, de provocation, de prosélytisme ou de propagande, et qu'il ne porte pas atteinte à la dignité de l'élève. La question a fait l'objet d'une loi en 2004.

60
Le 4 octobre 1958

Depuis l'effondrement de la IIIe République en 1940, le général de Gaulle prônait l'établissement d'un État fort permettant au pouvoir exécutif de réellement gouverner. Revenu au pouvoir à la présidence du Conseil le 1er juin 1958 à l'occasion de la crise algérienne, il reçoit les pleins pouvoirs pour six mois avec pour principale mission de préparer une nouvelle constitution. Le 3 septembre 1958, le texte de cette nouvelle constitution est adopté par le conseil des ministres. Le 28 septembre, 80 % des Français l'approuvent par référendum. Elle est promulguée le 4 octobre 1958 et, fait exceptionnel dans notre pays, a fêté sans encombre son cinquantenaire !
Comme l'avaient préconisé tous les partisans de la réforme de l'État depuis la fin du XIXe siècle, elle se caractérise essentiellement par le renforcement du pouvoir présidentiel. Élu d'abord pour sept ans (mandat réduit à cinq ans en 2002) et rééligible, le président de la République, chef des armées, négocie et signe les traités. Il préside le Conseil des ministres, promulgue les lois et dispose du droit de grâce. Surtout, il a le droit de dissoudre l'Assemblée nationale, de saisir directement le peuple – par référendum – d'un projet de loi et dispose de pouvoirs exceptionnels en cas de crise. En effet, l'article 16 de la Constitution précise que « lorsque les institutions de la République, l'indépendance de la nation, l'intégrité de son territoire ou l'exécu-

tion de ses engagements internationaux sont menacés d'une manière grave et immédiate et que le fonctionnement régulier des pouvoirs publics constitutionnels est interrompu, le président de la République prend les mesures exigées par ces circonstances, après consultation officielle du Premier ministre, des présidents des assemblées ainsi que du Conseil constitutionnel.» «L'essentiel, écrit alors Michel Debré, qui peut revendiquer la paternité du texte, c'est qu'il y ait, dans le monde d'aujourd'hui, à la tête de la France, une aptitude à décider. Là est le legs fondamental de la pensée constitutionnelle du général de Gaulle.» Ce dernier déclare lui-même : «Le président inspire, oriente, anime l'action nationale. La Constitution donne une tête à l'État.» La réforme constitutionnelle du 28 octobre 1962, qui fait désormais élire au suffrage universel le président de la République, marque un tournant décisif qui fait du président de la République la clef de voûte du système politique français.

61
Dominique Strauss-Kahn

Selon l'article 8 de la Constitution de 1958, le président de la République nomme le Premier ministre et, sur proposition de ce dernier, les ministres. Selon l'article 21, le Premier ministre dirige l'action du gouvernement, est responsable de la défense nationale et assure l'exécution des lois. Enfin, les articles 49 et 50 précisent la responsabilité du Premier ministre et du gouvernement devant le Parlement. Ainsi, la Constitution de la Ve République fait du Premier ministre le responsable du pouvoir exécutif devant le pouvoir législatif, en écran au président de la République. Il doit donc bénéficier d'une majorité au Parlement pour pouvoir jouer son rôle à la tête de l'exécutif et conduire la politique générale du pays. À trois reprises à ce jour dans l'histoire de la Ve République, le président a été dans l'obligation de nommer Premier ministre un homme issu d'une famille politique opposée à la sienne et de « cohabiter » avec lui : François Mitterrand, en nommant Jacques Chirac en 1986 et Édouard Balladur en 1993, puis Jacques Chirac, en nommant Lionel Jospin en 1998.

62
Majoritaire à deux tours

Le Parlement représente le pouvoir législatif, celui qui vote les lois. Il est composé de deux Chambres : l'Assemblée (autrefois appelée « Chambre des députés » et composée des représentants du peuple) et le Sénat, dont la Constitution stipule qu'il représente les collectivités territoriales. Si l'article 24 de la Constitution de la Ve République indique les modes de scrutin des membres du Parlement, elle n'en précise pas le détail : suffrage universel direct pour les députés, indirect pour les sénateurs. Ainsi, le type de scrutin est susceptible de changements, à l'initiative d'une loi votée par le Parlement lui-même, sur proposition du gouvernement. Cela s'est produit à l'occasion des élections législatives de mars 1986 qui ont été organisées au scrutin proportionnel à un seul tour sur listes départementales, avec deux résultats notables : l'élection de 32 députés issus du Front national et le basculement à droite d'une Assemblée opposée au président de la République de gauche, provoquant la première cohabitation entre Jacques Chirac et François Mitterrand. Depuis lors, c'est le scrutin uninominal majoritaire à deux tours qui permet d'élire les députés. « Au premier tour, on choisit, au deuxième, on élimine », prétend un dicton populaire. Avec le risque, toutefois, de n'avoir à choisir au second tour que des candidats que l'on a éliminés au premier !

63
Fernand Braudel

Né en 1902 à Luméville-en-Ornois, dans la Meuse, Fernand Braudel est considéré comme l'un des plus grands historiens du XXe siècle. Professeur au Collège de France, il assure la direction des *Annales* puis l'administration de la Maison des sciences de l'homme dont il a été l'un des fondateurs et qu'il a dirigée jusqu'à sa mort en 1985. Après avoir écrit deux œuvres majeures, *La Méditerranée* en 1949 et *Civilisation matérielle, économie et capitalisme* en 1979, il se lance dans une nouvelle entreprise, celle d'un essai en trois volumes sur l'Histoire de France qui sera publié peu de temps après sa mort. Observant et analysant les mouvements profonds qui traversent l'espace, révélant les poids énormes des origines lointaines, des techniques et des traditions qui ont modelé son paysage, il écrit : « L'historien n'est de plain-pied qu'avec l'histoire de son propre pays, il en comprend presque d'instinct les détours, les méandres, les originalités, les faiblesses. Jamais, si érudit soit-il, il ne possède de tels atouts quand il se loge chez autrui. Ainsi, je n'ai pas mangé mon pain blanc en premier, il m'en reste pour les vieux jours. »

64
David

Parmi les députés convoqués aux États généraux le 5 mai 1789, la déception est forte pour ceux qui en attendaient de grandes réformes. Le 10 juillet, à l'appel de l'abbé Sieyès, les députés du tiers état invitent ceux de la noblesse et du clergé à venir se souder à eux pour devenir les « représentants de la nation » et former une « Assemblée nationale ». C'est le premier acte de la Révolution de 1789. Le 20 juin, le roi ayant fait fermer leur salle de réunion, les députés du tiers état se réunissent dans la salle du Jeu de paume et prêtent le serment de ne pas se « séparer avant qu'une Constitution du royaume soit établie ». Sommés le 23 juin de se disperser, ils refusent et on prête à Mirabeau cette phrase célèbre : « Nous sommes ici par la volonté du peuple et nous ne sortirons d'ici que par la puissance des baïonnettes. » Le roi accepte alors le fait accompli. C'est le même Mirabeau qui imagine le projet de ce tableau en disant, le 28 octobre 1790 : « L'histoire peindra cet instant où les députés, errant dans les rues de Versailles, ne cherchaient qu'à se rencontrer pour se réunir ; où le peuple se demandait : "Où est l'Assemblée nationale ?" et ne la trouvait plus ; où le despotisme, qui croyait triompher, expirait sous les derniers coups qu'il venait de se porter à lui-même ; où quelques hommes, à l'approche d'une horrible tempête, et dans un lieu sans défense qui pouvait devenir leur tombeau, sauvèrent une grande nation par leur courage. » Le dessin du tableau est terminé en 1791, exposé au Salon de septembre et il est décidé qu'il sera fait aux frais du trésor public. Pourtant, le tableau ne sera jamais peint.

65
Eugène Delacroix

En 1831, Eugène Delacroix, qui s'est déjà fait connaître en 1822 par son fougueux romantisme, présente cette « Liberté guidant le peuple » révolté en juillet 1830 contre le roi Charles X. Acquis pour 30 000 francs par le nouveau roi Louis-Philippe, elle ne fut exposée que trois mois, le directeur des Beaux Arts, Royer Collard, estimant qu'elle pouvait être une incitation à de nouvelles émeutes ! Elle ressortit de la cave en 1855 pour l'Exposition universelle. C'est sans doute Henri Heine qui en a fait le plus fidèle commentaire : « Une grande pensée règne dans cet ouvrage, écrit-il alors dans *La Gazette d'Augsbourg.* Il a représenté un groupe du peuple pendant la révolution de Juillet, du milieu duquel s'élance, presque comme un personnage allégorique, une jeune femme. Elle porte sur la tête le bonnet phrygien, le bonnet rouge, un fusil dans la main et un étendard tricolore de l'autre. Elle passe sur les cadavres, elle excite un combat. Nue jusqu'à la ceinture, c'est un beau corps aux mouvements impérieux... Au total, bizarre mélange de Phryné, de poissarde et de déesse de la Liberté... L'artiste a voulu figurer la force brutale du peuple qui se délivre enfin du fardeau fatal... Journées sacrées de juillet ! Que votre soleil était beau ! Que le peuple de Paris était grand ! Les dieux qui, du haut du ciel, contemplaient ce sublime combat jetaient des cris d'admiration ; ils auraient volontiers quitté leurs sièges d'or et seraient descendus sur la terre pour se faire citoyens de Paris. »

66
La droite et la gauche

En Grande-Bretagne, s'opposent traditionnellement les conservateurs et les travaillistes. Aux États-Unis, la bipolarisation oppose toujours démocrates et républicains. En Allemagne, s'affrontent les chrétiens-démocrates et les sociaux-démocrates. En France, c'est le clivage droite/gauche qui l'emporte, renvoyant à une opposition non seulement politique mais aussi à un affrontement entre ceux qui défendraient un ordre efficace respectant l'autorité des élites (droite) et ceux qui revendiqueraient un progrès permettant l'égalité de chacun dans la cité (gauche).
L'origine historique de ce clivage se trouverait dans un vote ayant eu lieu à l'Assemblée nationale constituante en août-septembre 1789. Lors d'un débat sur le poids de l'autorité royale face au pouvoir de l'assemblée populaire dans la future Constitution, les députés partisans du veto royal (majoritairement ceux de l'aristocratie et du clergé) se regroupèrent à droite du président de l'Assemblée alors que les opposants à ce veto se rassemblèrent à gauche.
Si l'opposition entre « ordre » et « progrès » qui marque le clivage droite/gauche depuis cette période a longtemps été clairement perçue par les Français, les évolutions politiques récentes ont contribué à brouiller les lignes. Il ne s'agit plus aujourd'hui d'un combat entre le « bien » et le « mal », comme l'écrivait Jean-Paul Sartre dans les années 1950, au moment de la Guerre froide, mais d'une opposi-

tion entre deux visions différentes de la société, l'une plus sensible à l'égalité économique et sociale des citoyens, l'autre mettant davantage l'accent sur la liberté d'individus responsables de leur destinée.
À ceux qui préfèrent les clivages plus simples, on pense que la cuisine «de droite» est faite de cuisson lente, alors que «la gauche» se régalerait plutôt d'une omelette rapidement et simplement préparée…

67
Les Restos du Cœur

Les sketchs de Coluche, de son vrai nom Michel Colucci, ont fait rire les Français des années 1970-1980. Mais en 1985, la France n'a plus envie de rire. La crise économique et sociale est profonde, dramatique pour 10% de la population active qui est au chômage, et pour près de 5% de nos compatriotes qui vivent sous le seuil de pauvreté. L'immense espoir populaire né de l'élection de François Mitterrand en 1981 a été brisé dès 1983 par les réalités économiques et les lois du marché. C'est la fin de «l'état de grâce» et le début de la rigueur budgétaire : les salaires sont bloqués, l'inflation est galopante.
Le 26 septembre 1985, fort de sa formidable popularité, Coluche lance un appel à la générosité des Français sur Europe 1 et crée une association qui, dans son esprit, doit être temporaire : les Restos du Cœur. Aussitôt, les dons

affluent, 5 000 bénévoles adhèrent et les stars du showbiz emboîtent le pas en organisant des concerts sous le label des Enfoirés, dont les recettes vont aux Restos. Le 21 décembre 1985, les premières distributions de nourriture et de produits de première nécessité sont organisées : 8,5 millions de repas sont distribués la première année. En décembre 2009, les Restos du Cœur ont entamé leur vingt-cinquième campagne de distribution, vingt-trois ans après la mort de Coluche dans un accident de moto. Pourtant, la générosité des Français ne se dément pas, que ce soit au bénéfice des Restos ou lors du Téléthon. Avec 2 ou 3 milliards d'euros de dons par an, ils battent même des records de générosité, surtout les plus modestes qui consacrent aux dons une proportion plus forte de leurs revenus.

Géographie

68
L'hexagone

Un hexagone est une forme géométrique à 6 sommets et 6 côtés. Le mot vient du grec *hexi* (« six ») et *gonia* (« angle »). Un polygone est une forme à plusieurs (*poly*) côtés (angles = *gonia*). Enfin, un pentagone est une forme géométrique à 5 (*penta*) sommets et 5 côtés.

La carte de la France métropolitaine s'inscrit dans un hexagone irrégulier avec trois façades maritimes (Méditerranée, Atlantique et Manche) et trois frontières terres-

tres (Pyrénées, Belgique et l'ensemble oriental Allemagne-Suisse-Italie).
« Bible » de l'école républicaine à l'époque de Jules Ferry, la figure de l'hexagone allait devenir pour des millions de petits Français la représentation d'une France « symétrique, proportionnée et régulière » facile à imaginer, à mémoriser et à reproduire. Ainsi s'ancrait par la géographie l'image d'un hexagone divisé en deux parties égales par le méridien de Paris, à égale distance du pôle et de l'équateur, l'harmonie d'un pays où les montagnes d'altitude moyenne prédominaient et où les diverses régions n'étaient nulle part séparées par des obstacles naturels. Une prévision intelligente, un vrai « cadeau des dieux », pour reprendre les mots du géographe grec Strabon, qui vivait à l'époque du Christ !

69
Le mont Blanc

Situé à la frontière italienne, le mont Blanc est le point culminant de la chaîne des Alpes et d'Europe occidentale. Certains scientifiques considèrent toutefois que le point culminant du continent européen est le mont Elbrouz, dans le Caucase (en Russie) avec une altitude de 5 642 mètres.
L'altitude du mont Blanc a longtemps été arrêtée à 4 807 mètres (1863) puis, grâce aux mesures par satellite, à

4808 mètres (1986), et enfin à 4810 mètres (2001) au-dessus du niveau de la mer calculé, selon une norme internationale adoptée en 2000, par le marégraphe du Vieux-Port de Marseille. En réalité, l'altitude du mont Blanc est de 4792 mètres si l'on ne tient pas compte de la couverture de neige au sommet et que l'on ne retient que la masse rocheuse. Le niveau est donc fluctuant chaque année en fonction de l'épaisseur de la neige au sommet.
Le mont Blanc domine un ensemble impressionnant de sommets, en particulier l'aiguille du Midi (3842 mètres) et les Grandes Jorasses (4208 mètres). Jusqu'au XVIIIe siècle, les Savoyards l'appelaient la Montagne Maudite. Il fallut attendre le 8 août 1786 pour que deux hommes, Jacques Balmat et Michel Pacard, entreprennent l'ascension et parviennent au sommet. Depuis ce jour, le sommet du mont Blanc est atteint par des centaines d'alpinistes chaque année qui empruntent les nombreuses voies considérées comme des grands classiques. Pourtant, la montagne reste dangereuse : chaque année, le mont Blanc provoque la mort d'une quinzaine d'alpinistes.

70

Aa	**mer du Nord**
Rhône	**mer Méditerranée**
Garonne	**océan Atlantique**
Loire	**océan Atlantique**

Seine	**Manche**
Rhin	**mer du Nord**
Somme	**Manche**

La France métropolitaine est baignée par trois mers (mer du Nord, Manche et Méditerranée) et un océan (Atlantique). Les géographes définissent le fleuve comme un cours d'eau qui se jette dans la mer par un estuaire, à la différence d'une rivière qui se jette dans un autre cours d'eau par un confluent. La Veule, dans la Somme, est le plus court fleuve de France puisqu'il ne mesure que 1 194 mètres de sa source à son embouchure dans la Manche. C'est presque mille fois moins long que la Loire, le plus long fleuve de France, qui parcourt 1 013 kilomètres de sa source au mont Gerbier-de-Jonc (en Ardèche) à son embouchure dans l'océan Atlantique.

71
Côte d'Azur

La Côte d'Azur est située sur le littoral méditerranéen, sur les départements du Var et des Alpes-Maritimes, au pied des Alpes du Sud. Le paysage d'une beauté stupéfiante et le climat ensoleillé privilégié de la Côte d'Azur avaient séduit un Anglais qui visitait la région en 1763. Cet « aventurier » britannique, du nom de Tobias Smollett, était écrivain et publiait ses récits de voyage. La des-

cription idyllique qu'il fit de Nice enthousiasma l'aristocratie anglaise qui voulut à son tour découvrir ce paradis. Dès la Restauration, la ville devint une destination prisée des Anglais fortunés qui inventèrent alors une activité nouvelle : le tourisme. Avec Nice, les touristes anglais découvrirent Menton, puis Cannes (en 1834, avec lord Brougham qui s'y fit construire une villa somptueuse) et Monte Carlo. Le front de mer de Nice fut baptisé Promenade des Anglais et Alexandre Dumas écrivait en 1851 qu'à la belle saison, Nice était « une ville anglaise où l'on rencontrait, parfois, quelques Niçois ». Plus tard, les majestueux hôtels de grand luxe y fleurirent, comme le Negresco (1912) ou le Palais de la Méditerranée (1929) à Nice, ou le Majestic (1923) à Cannes.
Avec le chemin de fer et les congés payés, les Français découvrirent à leur tour, en masse, les charmes de la Côte d'Azur. Après la Seconde Guerre mondiale, le petit village de Saint-Tropez, à la limite occidentale de la côte, devint le lieu de villégiature rêvé par de nombreux Français. Si Colette y résidait l'été, c'est une autre femme, Brigitte Bardot, qui en fit la renommée. En 1956, l'actrice débutante y tourna *Et Dieu créa la femme*, un film sulfureux dirigé par Roger Vadim. Séduite par les lieux, elle y acheta une propriété. Aujourd'hui, le petit port provençal est le lieu de rendez-vous estival de la jet-set et des stars du show-business.

72
La Guyane

Il ne reste que quelques territoires des glorieuses zones roses qui figuraient l'Empire colonial français sur les cartes murales des écoles de la IIIe République. Ces anciennes possessions coloniales, réunies sous l'abréviation DOM-TOM, même si, depuis la révision constitutionnelle de 2003, la dénomination « territoire » n'existe plus, sont aujourd'hui rattachées à la Métropole et à l'Union européenne par différents statuts inscrits dans la Constitution.
Les départements et régions d'outre-mer sont au nombre de quatre et ont le même statut que les entités métropolitaines du même nom : la Guadeloupe et la Martinique, la Réunion et la Guyane. Parmi ces départements, la Guyane est le seul ensemble continental, au nord du Brésil.
Les collectivités d'outre-mer, aux statuts variés, sont : la Polynésie française (pays d'outre-mer), Wallis-et-Futuna (territoire d'outre-mer), Mayotte (collectivité départementale d'outre-mer), Saint-Pierre-et-Miquelon, Saint-Martin et Saint-Barthélemy (collectivités d'outre-mer).
La Nouvelle-Calédonie est régie par un article spécifique inscrit au titre XIII de la Constitution.
Les Terres australes et antarctiques françaises sont un territoire au statut et à l'administration propres.

Clipperton, enfin, îlot désertique du Pacifique situé à 1300 kilomètres au large du Mexique, est une propriété domaniale de l'État.

73

Pic de Vignemale	**3298 mètres**
Crêt de la Neige	**1720 mètres**
Mont Blanc	**4810 mètres**
Grand Ballon	**1424 mètres**
Puy de Sancy	**1886 mètres**

• Le pic de Vignemale (Hautes-Pyrénées) est le point culminant des Pyrénées en France ; le sommet le plus haut de la chaîne est le pic d'Aneto (3404 mètres d'altitude), situé en Espagne.
• Le Crêt de la Neige est le point culminant de la chaîne du Jura, dans le département de l'Ain.

• Le mont Blanc est le point culminant de la chaîne des Alpes et de l'Europe occidentale ; il est situé en Savoie, à la frontière italienne.
• Le Grand Ballon (Haut-Rhin), également appelé Ballon de Guebwiller, est le point culminant de la chaîne des Vosges.
• Le puy de Sancy est le point culminant du Massif central, dans le département du Puy-de-Dôme.

74
Le mont Canigou

• Le mont Canigou, dans le département des Pyrénées-Orientales, domine la plaine du Roussillon de ses 2785 mètres d'altitude. Ce n'est pas un volcan, contrairement aux quatre autres reliefs :
• La Soufrière (1467 mètres) est un volcan de type peléen de l'île de la Guadeloupe qui est en activité. Sa dernière éruption date de 1976.
• Le Piton de la Fournaise (2631 mètres) est un volcan de l'île de la Réunion qui reste l'un des plus actifs du monde.
• Les monts du Cantal sont un des massifs qui constituent le Massif central. Ils forment le plus grand volcan composite (c'est-à-dire composé de strates de lave accumulées) d'Europe, avec une superficie de 2700 km². Le Cantal n'est plus en activité depuis plus de deux millions d'années, si bien que ce n'est qu'en 1821 que les géo-

logues ont établi que ces montagnes verdoyantes étaient en réalité un ancien volcan.
• L'Orohena (2241 mètres) n'est plus actif. C'est le point culminant de l'île de Tahiti et de la Polynésie française.

75

Aveyron	**Midi-Pyrénées**
Aube	**Champagne-Ardenne**
Allier	**Auvergne**
Aude	**Languedoc-Roussillon**
Orne	**Basse-Normandie**
Loir-et-Cher	**Centre**
Loire	**Rhône-Alpes**
Morbihan	**Bretagne**
Deux-Sèvres	**Poitou-Charentes**
Corrèze	**Limousin**
Yonne	**Bourgogne**
Vosges	**Lorraine**

On apprenait jadis à l'école élémentaire les départements et les «chefs-lieux», c'est-à-dire les préfectures. Aujourd'hui, les départements restent un repère identitaire fort pour le plus grand nombre des Français, mais l'entité

administrative qui prévaut à l'échelle européenne est la région. La France, qui est le pays le plus vaste de l'Union européenne, compte 22 régions métropolitaines. Outre des entités administratives, ces régions constituent un échelon important du système politique français, puisque leurs représentants sont élus au suffrage universel direct, votent et administrent un budget propre, et sont les partenaires territoriaux des instances européennes.
En 2009, une Commission présidée par Édouard Balladur a remis un rapport au président de la République comprenant vingt propositions pour une réforme des collectivités territoriales. Deux de ces propositions préconisent un redécoupage des régions françaises pour en limiter le nombre à 15, et désigner par une même élection les conseillers régionaux et les conseillers départementaux.

76
La Corse

Le *babbu de a patria*, le « Père de la patrie » corse, n'est pas Napoléon Buonaparte mais bien Pascal Paoli (1725-1807). Paoli est né dans une île dominée par la République de Gênes. Ce pur esprit des Lumières, admirateur de Montesquieu, est nommé à la tête de la révolte des Corses contre les Génois en 1755. Tout en menant le combat armé, il entreprend aussitôt de doter l'île d'une Constitution qui laisse une large place aux usages ancestraux. Pour les uns, la Corse de Paoli est « une démocratie de notables », tandis que pour Jean-Jacques Rousseau elle est le « premier État démocratique de l'Europe des Lumières ». Mais la France rachète la Corse à Gênes le 15 mai 1768 pour 2 millions de livres. La résistance des patriotes est vaine face aux troupes de Louis XV. Paoli est contraint à l'exil en Angleterre. Il reviendra triomphalement chez lui pendant la Révolution à laquelle il adhère sans réserve, mais ne parviendra pas à rétablir l'indépendance de l'île. Avec l'aide de la Royal Navy, Paoli parvient toutefois à chasser les Français et la Corse passe sous domination britannique jusqu'en 1796, date à laquelle les Français la reconquièrent définitivement.

77
834 000

Au Moyen Âge et durant l'Époque moderne, la France était le pays le plus peuplé d'Europe, plus encore que la Russie. Ainsi, Louis XIV pouvait compter sur la contribution fiscale de 20 millions de sujets pour asseoir sa puissance et sa gloire. L'effondrement de la démographie française date du XIXe siècle et a pour origine les dispositions sur la transmission de l'héritage prévues par le code civil. En supprimant le droit d'aînesse pour répartir les biens entre tous les enfants, dans une France encore rurale où la richesse reposait sur la possession de la terre, le Code incita les Français à avoir moins d'enfants pour ne pas diviser un patrimoine durement bâti par toute une vie de labeur. En 1914 comme en 1940, la France comptait ainsi 40 millions d'habitants et l'Allemagne près de 70 millions. Le 1er janvier 2009, nous étions 64 303 000 Français selon l'INSEE, et nous sommes 350 000 de plus chaque année. Avec 834 000 naissances en 2008 et un taux de fécondité de 13 ‰, la France fait figure, avec l'Irlande, d'exception européenne, et sans doute mondiale pour un pays riche. En moyenne, les Françaises en âge de procréer ont eu 2,07 enfants, quand les Européennes en ont eu, en moyenne, 1,54.

78

1%

La population française s'élève à 65 millions d'habitants, dont près de 63 résident en métropole. Quel est le secret du « modèle français » ? Depuis quelques années, démographes et sociologues se penchent avec perplexité sur le cas de notre pays : à l'heure où l'Europe est touchée par un recul des naissances, la France est en effet devenue le champion d'Europe de la fécondité. À elle seule, elle assure les trois quarts de l'excédent naturel de l'ensemble du continent européen !

Une des raisons avancées est la politique familiale française qui, depuis 1945, offre une large palette de choix de modes de garde – crèches, assistantes maternelles, haltes-garderies – , même s'ils sont encore insuffisants pour les enfants de moins de trois ans. L'école maternelle est aussi l'un des éléments fondamentaux du système français. Enfin, la politique familiale française est généreuse puisque l'ensemble des prestations – allocations familiales, congés parentaux, prestations d'accueil du jeune enfant, quotient familial – représentent 3,8 % du PIB, ce qui place la France au troisième rang des pays de l'OCDE. Un investissement d'avenir, dans la mesure où l'on prévoit que cette croissance démographique permettra à la France de devenir la première puissance économique européenne dès 2030.

79

Alain Mimoun	**Algérie**
Léon Gambetta	**Italie**
Yves Montand	**Italie**
Missak Manouchian	**Arménie**
Raymond Kopa	**Pologne**
Georges Charpak	**Pologne**

• Alain Mimoun (né en 1921 à El Telagh en Algérie) fait la Seconde Guerre mondiale dans l'armée française. Après la guerre, les courses de fond qui l'opposent au

Tchèque Zatopek ont fait vibrer le public sportif du monde entier. Entre autres victoires, Alain Mimoun remporta le marathon des Jeux olympiques de Melbourne, en 1956.

• Léon Gambetta (1838-1882) est né à Cahors dans une famille de commerçants originaires d'Italie. Avocat, républicain dans l'âme, il est ministre de l'Intérieur du gouvernement provisoire de la République en 1870 et anime la guerre contre les Prussiens qui assiègent Paris. Durant les années 1870, il combat sans relâche pour imposer la République à une classe politique tentée de revenir à la monarchie parlementaire.

• Ivo Livi, dit Yves Montand (1921-1991), est né en Italie dans une famille militante qui s'installe à Marseille en 1929 pour fuir l'Italie fasciste. Il fera toute sa carrière en France ; dans le music-hall d'abord, devenant l'un des grands acteurs du cinéma français par la suite.

• Missak Manouchian (1906-1944) est né en Arménie, alors sous domination turque. Orphelin après le génocide de 1915, il arrive à Marseille et devient militant communiste. Pendant la guerre, il participe à la Résistance à la tête d'un groupe de vingt-trois combattants FTP-MOI (« Francs Tireurs Partisans – Main-d'œuvre immigrée »), est arrêté et exécuté par les nazis. La propagande nazie s'empara de son nom à consonance « étrangère » pour dénoncer la Résistance par affiches. Louis Aragon écrira à sa mémoire un poème que chantera Léo Ferré : *L'Affiche rouge.*

• Raymond Kopaszewski (né en 1931), dit Kopa, est né dans une famille de mineurs polonais du Nord-Pas-de-Calais. Il fut l'un des meilleurs footballeurs des années 1950 et s'illustra en équipe de France, à Reims et au Real de Madrid.

• Georges Charpak (né en 1924) naît en Pologne et émigre en France avec sa famille en 1931. Résistant, il est déporté à Dachau en 1943 et naturalisé Français en 1946. Il obtient le prix Nobel de physique en 1992 pour ses travaux en physique des particules et anime « La main à la pâte » depuis 1996, un programme pédagogique de sciences destiné aux enfants de primaire.

Économie, sciences et techniques

80
Le franc

« Nous avons ordonné et ordonnons que le denier d'or fin que nous faisons faire à présent et entendons à faire continuer sera appelé franc d'or. » Cette ordonnance, datée du 5 décembre 1360 et promulguée à Compiègne par le roi Jean le Bon, constitue l'acte de naissance du franc. Ce qu'on appelle alors le franc est une pièce d'or de 3,88 grammes à 24 carats, qui représente, à l'avers, Jean le Bon à cheval, coiffé d'un heaume et brandissant

une épée, reconnaissable aux fleurs de lis de sa cotte d'armes.
Merveilleuse trouvaille, le franc sonne bien. Il évoque les prestigieuses origines des rois. Il flatte les sujets, car « franc » signifie « libre ». « Franc » sonne mieux que « lion », « pavillon » ou « chaise », comme on appelait les pièces d'or précédentes. Par suite d'innombrables dévaluations, ce franc ne valait plus toutefois que 0,29 gramme d'or fin à la veille de la Révolution, soit treize fois moins qu'au moment de son émission.
Il renaît le 17 Germinal an XI (7 avril 1803). Reprenant un projet de la Convention, le franc « germinal » voulu par Napoléon Bonaparte est une pièce de 5 grammes à 9/10e d'argent fin, soit aussi 0,322 gramme d'or. La pièce que les Français eurent désormais dans la main indiquait immédiatement sa valeur. Plus besoin de trébuchet, de poids ou d'opérations arithmétiques compliquées pour l'évaluer. Un franc, c'était un franc. Instrument facilitant les échanges rendus plus sûrs et plus rapides, la pièce était aussi un instrument politique. Sur une face, la République ; sur l'autre, l'image de Bonaparte.
De 1803 à 1914, ce franc, convertible en or, garda la même valeur. Toutefois, avec le développement de l'inflation qui suivit la Première et la Seconde Guerres mondiales, il subit une série de dévaluations qui en affaiblirent considérablement le pouvoir d'achat. À la veille de sa disparition en 2002, le franc ne valait plus que le vingtième de ce qu'il valait en 1914. Mais comme on était passé en

1958 aux « nouveaux francs » (1 franc nouveau valant 100 anciens francs), il ne valait plus en fait que le deux millième de ce qu'il valait en 1914 !

81
Le livret de la Caisse d'épargne

Le livret A est né en France en 1818 à l'initiative d'un banquier protestant, Benjamin Delessert, pour encourager l'épargne populaire et répondre en partie aux détresses provoquées par les débuts de la révolution industrielle. La première ouverture d'une Caisse d'épargne a lieu à Paris le 22 mai 1818, mais il faut attendre la loi du 5 juin 1835 pour que les Caisses d'épargne soient reconnues comme des établissements privés d'utilité publique. C'est alors que s'amorce la dynamique du succès. Alors qu'on ne comptait que 100 000 livrets en 1830, on en enregistre deux millions en 1870. À la fin des années 1930, plus de 50 % des Français en possèdent un et, aujourd'hui, 58,8 millions de livrets A seraient détenus par les 64,3 millions de Français ! Jamais épargne ne fut aussi populaire.

82
1826

Joseph Nicéphore Niepce, qui vivait à Chalon-sur-Saône, entreprend en 1816 ses recherches sur la photographie. Prise en 1826, *Point de vue du Gras*, qui représente une aile de sa propriété à Saint-Loup-de-Varennes (Saône-et-Loire), est considérée comme la date de naissance de la première photographie. Il meurt en 1833 et c'est son associé Daguerre, préoccupé de questions analogues, qui trouve le moyen de raccourcir les temps de pose à quelques dizaines de minutes. En 1839, il promeut son invention auprès du savant et député Arago qui lui accorde son soutien. Ainsi, la date conventionnelle de l'invention de la photographie est 1839, date de la présentation par Arago du daguerréotype à l'Académie des sciences. Mais ce n'est en fait que l'amélioration de l'invention de Niepce en 1826.

83
Marie Curie

Maria Sklodowska naît à Varsovie en 1867, à une époque où la Pologne fait partie de l'Empire russe. Depuis la répression sanglante de l'insurrection de 1863, la russification du pays interdit l'accès aux études supérieures aux étudiants polonais. Brillante élève, Maria part alors pour

Paris en 1891 et s'inscrit à la Faculté des sciences pour y poursuivre ses études en physique et en mathématiques. Licenciée en deux ans, elle est reçue première à l'agrégation de physique en 1896.
Deux ans auparavant, elle a épousé Pierre Curie, autodidacte qui n'est jamais allé à l'école et qui a pourtant obtenu son baccalauréat puis une licence de physique. Désormais, ils travaillent ensemble à l'École de physique et de chimie industrielles de la Ville de Paris, dans un laboratoire qui, selon le chimiste allemand W. Ostwald, « ressemble à une étable ou à un hangar à pommes de terre ». Leurs recherches portent sur les étranges rayonnements d'un minerai riche en uranium, observés par Henri Becquerel en 1896 : la pechblende. En 1898, Marie Curie découvre le polonium, puis le radium. En 1903, elle reçoit le prix Nobel de physique pour ses travaux sur la radioactivité, en compagnie de son mari et d'Henri Becquerel. Elle est la première femme à recevoir cette distinction, puis la première à être nommée professeur à la Sorbonne, remplaçant Pierre Curie, tué accidentellement par un fiacre en traversant une rue.
Marie Curie obtient un deuxième prix Nobel de chimie en 1911 pour ses travaux sur le radium. Rongée par les radiations auxquelles elle s'est exposée au cours de ses recherches, elle meurt d'une leucémie en 1934.
En avril 1995, ses cendres sont transférées au Panthéon avec celles de son époux : elle est à ce jour la seule femme à y reposer pour reconnaissance nationale.

84
La rage

Au XIXe siècle, il n'existe aucun remède pour lutter contre la rage. C'est une maladie terrible qui se propage lentement par les nerfs jusqu'au cerveau et entraîne une mort dans des souffrances atroces. Le 4 juillet 1885, près de Sélestat, le petit Joseph Meister, âgé de neuf ans, est mordu par un chien enragé. Le docteur allemand recommande à la mère de l'enfant de le conduire à Paris auprès de Louis Pasteur. Pasteur est déjà célèbre pour son vaccin contre la maladie du charbon qui ravageait les troupeaux d'ovins.

Pasteur travaille depuis 1879 sur la rage, mais il en est encore au stade expérimental sur des chiens. Il ignore tout des effets d'une vaccination sur un sujet infecté, mais par ailleurs l'enfant n'a aucune chance de survivre à la maladie si rien n'est tenté. Le 6 juillet, il lui injecte des échantillons de plus en plus virulents de moelle de lapin enragé pour tenter de l'immuniser. Après dix jours, l'enfant est sauvé.

À l'annonce du succès, 2 500 personnes enragées venues de toute l'Europe sont vaccinées et repartent guéries de Paris. Une souscription est lancée qui permet de fonder l'Institut Pasteur en 1888, dont Joseph Meister sera le gardien jusqu'en 1940.

85
La 2CV

Présentée pour la première fois au public à l'occasion du Salon de l'automobile d'octobre 1948, la 2CV est certainement le véhicule français le plus populaire. 3,8 millions d'exemplaires ont été vendus entre juillet 1949, date de sa mise sur le marché, et juillet 1990, date de son retrait. Le projet de cette voiture populaire est né pendant la crise. En 1934, André Citroën, archétype de l'entrepreneur industriel audacieux, est victime d'une faillite retentissante. Michelin, qui le rachète, entreprend alors pour la première fois en France une étude de marché pour aider à déterminer le véhicule que les Français aimeraient acquérir. Le cahier des charges de la TPV (Très Petite Voiture) qui en découle, rédigé par Pierre-Jules Boulanger, parle d'« une bicyclette à quatre places, étanche à la pluie et à la poussière, et marchant à 60/65 kilomètres-heure en ligne droite sur route plate ». Il aurait ajouté oralement qu'elle devait pouvoir transporter deux cultivateurs en sabots, 50 kilos de pommes de terre pour une consommation de 3 litres aux cent.
Quand la TPV est présentée au Salon de l'automobile en 1948, la surprise est immense. « Où est l'ouvre-boîte ? » se serait exclamé un reporter américain. La « deuche », comme on l'appelle bien vite, se vend pourtant tellement bien qu'en 1951, une 2CV d'occasion coûte plus cher qu'une neuve et qu'en 1952, il faut compter près de vingt mois avant d'être livré. Comme la Coccinelle de

Volkswagen à laquelle elle peut être comparée, elle répond à un modèle de voiture minimale permettant d'équiper le plus grand nombre. En 1949, il fallait à un salarié touchant le salaire minimum 3 672 heures de travail pour l'acquérir, contre 1 291 en 1990.

86
Le *France*

Lancé depuis les Chantiers de l'Atlantique de Saint-Nazaire le 11 mai 1960 par le général de Gaulle et son épouse, Yvonne de Gaulle, sa marraine, ce colosse d'acier avait pour port d'attache Le Havre. Il entra en service en 1962 pour assurer la liaison avec New York en cinq jours, sous le drapeau de la Compagnie générale transatlantique. Le *France* fut à l'époque le plus grand et le plus luxueux paquebot du monde, vitrine du savoir-faire retrouvé de toute l'industrie française, de l'argenterie Christofle aux arbres d'hélices fabriqués au Creusot.
Le *France* fut l'orgueil de la marine française jusqu'en 1974, date à laquelle la crise pétrolière et la concurrence des avions de ligne eurent raison de l'équilibre financier de la Compagnie transatlantique. Le navire fut alors désarmé et rouilla longtemps dans un bassin de la zone industrielle du Havre. Le traumatisme national trouva alors la voix de Michel Sardou pour interpréter une chanson en hommage à la sublime épave. En 1977, toutefois, le *France* fut racheté

par un armateur norvégien qui le réaménagea pour des croisières aux Caraïbes, avec un équipage réduit de moitié, et qui le rebaptisa *Norway*. Après cette fin de carrière, le navire fut revendu à un ferrailleur, et la carcasse du plus beau navire du monde fut démantelée en Inde en 2007.

87
Le *Concorde*

Au début des années 1960, les coûts de développement d'un avion de ligne capable de concurrencer les géants américains Boeing, Lockheed et Mc Donnell sont trop élevés pour les entreprises européennes. A fortiori si l'appareil en question est supersonique, c'est-à-dire capable de voler à deux fois la vitesse du son, comme les avions de chasse. L'accord signé en novembre 1962 entre Sud-Aviation et British Aerospace Company, à l'instigation des gouvernements français et britannique, permet de doubler les moyens financiers des deux entreprises.
Le 2 mars 1969, le prototype à ailes delta s'envole de Toulouse. Seuls les Soviétiques « relèvent le défi » avec leur Tupolev 144, copie conforme du *Concorde*, incapable de tenir l'air et surnommé « *Konkordsky* ». Si *Concorde* est une réussite technique, c'est un échec commercial doublé d'un gouffre financier : seules Air France et BOAC (ancêtre de British Airways) passent commande de sept appareils chacune. Entrant en service à l'époque du premier

choc pétrolier, le supersonique engloutit des quantités énormes de kérosène et ne transporte qu'une centaine de passagers. Il est affecté aux vols transatlantiques vers Rio de Janeiro et New York, attirant une clientèle d'hommes d'affaires que la révolution des télécommunications de la fin du XXe siècle éloignera des lignes aériennes. La carrière commerciale de *Concorde* prit fin en 2003.

88
Le TGV

Le 26 février 1981, la rame n° 16 roule à 380 kilomètres-heure dans la cuvette de Moulins-en-Tonnerrois, après s'être élancée du point kilométrique 197 de la ligne à grande vitesse Paris-Lyon en cours de construction. La nouvelle tombe sur les téléscripteurs des agences de presse. Le TGV français, mis au point par la SNCF avec la société Alsthom, vient de battre le record du monde de vitesse sur rail. Le 27 septembre 1981, la ligne est ouverte à la circulation, mais partiellement seulement, sur sa moitié sud, et le public prend l'habitude de voir ces trains au long museau orange quitter les gares parisienne ou lyonnaise et faire le parcours en deux heures quarante en attendant de le faire en moins de deux heures quand la ligne est complètement terminée en 1983. C'est alors que commence l'ère TGV en France, modifiant la géographie du territoire, désormais liée au temps mis pour relier ses grandes villes à Paris. Le terme TGV, qui signifiait à l'origine « Très

Grande Vitesse», évoque désormais la vitesse, la fluidité et la puissance. Alors que les prévisions de 1970 donnaient de 13000 à 20000 voyageurs par jour, leur nombre s'élève immédiatement à 40000 avec des pointes de 70000 à 80000. Comme le Minitel, la fusée Ariane, *Concorde*, le nucléaire civil ou Airbus, le TGV fait partie de ces grands projets qui associent fortement l'État français à un champion national. Domaine d'excellence des grands corps d'ingénieurs, ces projets sont, comme le déclarait avec fierté Jacques Chirac, «une admirable démonstration des capacités de la France en matière de recherche, de développement et d'innovation». À noter qu'en vingt-huit ans, le TGV a connu quelques accidents dont trois déraillements à grande vitesse, ne causant que quelques blessés légers. Les chiffres de sécurité du système TGV sont exceptionnels, aucune mort liée à l'exploitation à grande vitesse n'étant à déplorer depuis le démarrage du service en 1981.

89

La vache qui rit
Stylo Bic
Opinel
Zodiac

Quelle est l'image de la France à l'étranger? Celle d'un pays où il fait bon vivre, où l'on mange bien, où l'on boit bien, d'un pays raffiné où l'on produit ce qu'il y a de meilleur, de plus rare et de plus luxueux, où les femmes sont d'une élégance incomparable et portent les parfums les plus subtils. Une image stéréotypée qui se traduit toutefois en solides recettes commerciales. Partout, le *made in France* est un gage de qualité et d'authenticité.

90
N° 5 de Chanel

«Je veux un parfum inimitable, un parfum de femme à odeur de femme. Je veux faire le parfum le plus beau du monde», affirmait de manière péremptoire en 1920 Gabrielle Chanel, qu'on appelait Coco Chanel. Née en 1883, mince, brune, ardente, à l'écoute de son époque et au cœur des tendances, elle avait inventé la «modernité», disant aussi : «Une femme qui ne se parfume pas n'a pas d'avenir.»
Partant de cette intuition, Ernest Beaux, l'un des plus fameux nez de son temps, lui propose cinq compositions, travaillées sur des accords nouveaux à base d'aldéhydes. Des deux séries, l'une numérotée de 1 à 5 et la seconde de 20 à 24, elle choisit l'échantillon n° 5, transcription d'un souvenir d'Ernest Beaux d'une partie de campagne aux confins du cercle polaire, souvenir d'une atmosphère d'une extrême fraîcheur. Elle décide de garder le n° 5, son chiffre porte-bonheur, comme dénomination et demande d'ajouter encore du jasmin, afin de rendre la

flagrance encore plus somptueuse. Le flacon fut d'une sobriété peu courante à l'époque : un flacon plat aux formes géométriques, inspiré des flacons issus des mallettes de voyage pour hommes. L'étiquette, semblable à celle d'un écolier, était simplement imprimée et non gravée. Destinée au départ aux meilleures clientes, le N° 5 connut immédiatement un succès foudroyant. Marilyn Monroe en tomba amoureuse et à la question qu'on lui posait de savoir ce qu'elle portait la nuit pour dormir, elle répondit : « Cinq gouttes de N° 5. »

91
L'Oréal

Le 14 novembre 1907, Eugène-Paul-Louis Schueller dépose à l'Office national de la propriété industrielle une demande de brevet d'invention pour une teinture pour cheveux inoffensive qui « permet d'obtenir toutes les teintes depuis le blond jusqu'au noir, soit instantanément (c'est-à-dire en quelques minutes), soit progressivement (c'est-à-dire en quelques heures) ». Il baptise cette nouvelle coloration chimique L'Auréale, du nom d'une coiffure en vogue à l'époque. Fort de ce brevet, le jeune diplômé de l'École nationale de chimie décide alors de créer sa petite « affaire ». Lancée en 1909, la Société des teintures inoffensives pour cheveux est l'ancêtre de l'empire L'Oréal, devenu, cent ans après sa naissance, la première entreprise mondiale de cosmétiques, employant 67 000 salariés dans 130 pays. Modèle unique de capitalisme familial « à la française » – l'entreprise est toujours la propriété de la fille du fondateur, exemple de continuité stratégique et managériale – elle n'a connu que cinq dirigeants en un siècle. Modèle de recherche et de développement – elle a encore déposé 628 brevets en 2008 –, cette entreprise fondée par un chimiste qui enchaînait les trouvailles et avait le sens de la publicité – Ambre Solaire, Dop –, l'histoire de L'Oréal se confond aussi avec la sensibilisation progressive des Français à l'hygiène et démontre que les métiers de la beauté peuvent se décliner pour toutes les cultures.

92
Renault

La première automobile Renault est née au cours de l'automne 1898. Trois mois de travail et d'efforts pour construire un engin de 250 kilos équipé d'un moteur de 1,75 CV, capable de transporter deux personnes à la vitesse de 50 kilomètres-heure. L'histoire raconte que la présentation, faite le soir du 24 décembre 1898, rassemble quelques amis des frères Marcel et Louis Renault. Des amis visiblement séduits par les atouts techniques de la

voiture, puisque douze commandes sont enregistrées avec arrhes à l'appui.
Né en 1877 d'une famille aisée de la bourgeoisie commerçante parisienne, Louis Renault est le produit d'une époque où la France se caractérise par le nombre de ses inventeurs dans le domaine de l'automobile comme dans celui de la bicyclette, dans le domaine du cinéma comme dans celui de l'aviation. Des réussites qui s'expliquent aussi par l'attirance qu'exerce aux yeux du monde Paris, la « Ville Lumière ». Louis Renault écrira lui-même : « Tout jeune, par tempérament, je n'avais qu'un plaisir, je n'avais qu'une joie, celle de concevoir, de créer et de produire quelque chose. C'est la raison pour laquelle une de mes premières préoccupations a été d'édifier un petit atelier. » Cet atelier se trouve à Boulogne-Billancourt, sur l'île Seguin, dans le jardin de la propriété familiale. L'argent est fourni par les deux frères Fernand et Marcel qui soutiennent les efforts de leur cadet. Le 25 février 1899 est créée la société Renault Frères. La production, qui atteint 179 voitures en 1900, passe à 1 179 en 1905 et 5 100 en 1910. À une forte culture technique, Renault ajoute ses valeurs traditionnelles de prudence et de pragmatisme. Au fil du temps, l'entreprise de Billancourt devient le symbole de l'aventure industrielle française et, en même temps, la vitrine sociale d'une entreprise qui, nationalisée en 1945, se flatte d'avoir été à l'avant-garde de la condition ouvrière. « Quand Renault éternue, c'est toute la France qui s'enrhume », a-t-on dit souvent. Avec cent ans

d'histoire, l'entreprise, retransformée en société anonyme en 1990, résume d'une certaine manière l'histoire d'un capitalisme français où l'État a toujours été fortement présent. Quant à Billancourt, les bâtiments industriels sont fermés depuis 1992 et le site est en attente de réaffectation.

93
CGT

C'est au congrès de Limoges, en 1895, qu'est fondée la Confédération générale du travail rassemblant les divers syndicats. En 1906, la CGT se dote d'une doctrine, la Charte d'Amiens, qui voit le triomphe des idées du syndicalisme révolutionnaire sur celles des réformistes. La Charte d'Amiens établit en effet, au contraire de ce qui va se passer en Allemagne, l'indépendance du syndicat par rapport aux partis politiques et affirme que l'objectif du syndicalisme est la révolution.
Éclatée et affaiblie au lendemain de la Première Guerre mondiale par la naissance du parti communiste qui en fait partir les éléments les plus révolutionnaires, elle se ressoude en 1936, à la veille du Front populaire, et devient au lendemain de la Seconde Guerre mondiale le premier syndicat de France avec près de 5 millions d'adhérents. Aujourd'hui, elle n'en revendique plus que 700 000, conservant son leadership aux élections prud'homales. Ne

comptant plus qu'un adhérent dans le privé pour deux dans le public, les hommes y étant quatre fois plus nombreux que les femmes, et ses meilleurs bastions étant les grandes entreprises publiques, notamment EDF, la SNCF, la RATP, la Poste, elle cherche comment trouver sa place dans une société française qui a été profondément bouleversée depuis trente ans. Confrontée à des effectifs qui stagnent et au départ en retraite d'une grande partie de ses militants, elle peine à trouver sa voie dans une France où le syndicalisme est désormais devenu un fait minoritaire qui ne concerne plus que 6,5 % des salariés.

94
Le RMI

Instauré en 1988, le Revenu minimum d'insertion (RMI) est versé aux personnes sans ressources ou ayant des ressources inférieures à un plafond fixé par décret. Destiné à répondre aux problèmes posés par la montée du chômage à partir des années 1970, le RMI vise surtout, depuis sa création, à insérer les personnes les plus en difficulté, les « nouveaux pauvres ». Un de ses inconvénients majeurs, relevés par tous ceux qui en ont évalué les effets, était qu'il pouvait dissuader les personnes les moins qualifiées de revenir à l'emploi, notamment lorsqu'il s'agissait d'un travail à temps partiel, et qu'il constituait, à cet égard, une « trappe à inactivité ». C'est pour cette raison qu'il a été remplacé le 1er juin 2009 par le Revenu de solidarité active (RSA). En 2010, le RSA s'élève à 460 euros pour une personne seule.

95
2002

En juin 1988, réuni à Hanovre, le Conseil européen décide de compléter la formation du grand marché intérieur par une gestion économique et monétaire commune. Les modalités sont définies dans le traité de Maastricht signé en février 1992. Il fixe notamment les critères de convergence qui doivent être respectés par les pays membres pour pouvoir adopter la monnaie unique prévue pour 1999 et appelée « euro ». En particulier, ces États sont soumis à un pacte de stabilité et de croissance qui leur impose de respecter des limites strictes pour les déficits budgétaires (3 % du PIB) et pour le niveau de la dette publique (60 % du PIB).
À partir du 1er janvier 1999, des taux fixes de conversion entre l'euro et les monnaies des principaux pays de l'Union européenne sont fixés (1 euro = 6,5597 francs) et la Banque centrale européenne entre en fonction depuis son siège de Francfort, en Allemagne. Le 1er janvier 2002, circulent les pièces et les billets qui deviennent la monnaie unique des 12 pays membres de l'Euroland, qui sont l'Allemagne, l'Autriche, la Belgique, l'Espagne, la

Finlande, la France, la Grèce, l'Irlande, l'Italie, le Luxembourg, les Pays-Bas et le Portugal. Cinq ans après sa mise en circulation, 51 % seulement des Européens pensaient que c'était une opération « avantageuse », alors que 78 % estimaient qu'elle avait entraîné une hausse des prix.

96
Le Danemark

La France a l'image d'une société bloquée et constamment soumise aux grèves, alors que les pays du Nord de l'Europe seraient des pays pétris d'une culture du dialogue leur permettant de trouver le chemin de négociations paisibles. Or, si l'on mesure les « taux de conflictualité sociale » en Europe à partir du nombre de journées individuelles non travaillées par rapport à la population salariée des pays concernés, il est de 37 en France contre 43 pour la moyenne européenne, le Danemark culminant à 218, devant l'Espagne à 166 et l'Italie à 83 ! L'Allemagne, elle, n'est qu'à 2,9.

Langue, littérature

97
Le serment de Strasbourg

Le 14 février 842, deux des petits-fils de Charlemagne, Charles le Chauve et Louis le Germanique, signent une alliance contre les ambitions de Lothaire Ier, leur frère aîné, prétendant unique au trône de Charlemagne. Ce serment de Strasbourg est primordial du point de vue de l'histoire linguistique, car il est la première attestation d'une langue romane dérivée du latin en « Francie » occidentale et d'une langue germanique en « Francie » orien-

tale. En Français, le texte lu par Louis pour être compris des soldats de Charles dit : « Par l'amour de Dieu et pour le peuple chrétien et notre salut commun, à partir d'aujourd'hui, en tant que Dieu me donnera savoir et pouvoir, je secourrai ce mien frère Charles par mon aide et en toute chose, comme on doit secourir son frère, selon l'équité, à condition qu'il fasse de même pour moi, et je ne tiendrai jamais avec Lothaire aucun plaid qui, de ma volonté, puisse être dommageable à mon frère Charles. »
L'année suivante, en 843, les trois frères signent à Verdun le traité qui délimite les territoires attribués à chacun. Ce traité peut être considéré comme l'acte de naissance de la France.
Le second texte complet dans l'histoire de la langue française est la *Séquence de sainte Eulalie* qui date de 880 ou 881.

98
L'Académie française

La raison d'État inspire l'œuvre politique de Richelieu, appelé au Conseil de Louis XIII en 1624. Jugeant son impopularité préjudiciable à sa tâche, il comprend que la communication est un instrument politique. En 1631, il fait publier des informations dans *La Gazette*, la publication de petites annonces de Théophraste Renaudot, le premier journal français. Richelieu s'attache les services de douze lettrés, écrivains et poètes réunis autour de Valentin Conrart et les charge de rédiger des libelles favorables à sa politique. Alors que le français est la langue des actes officiels depuis l'ordonnance de Villers-Cotterêts de 1539, une grande diversité linguistique perdure dans le royaume. Richelieu comprend que son unité passe par une langue commune. Il s'en ouvre à son équipe de rédacteurs dont la réunion du 13 mars 1634 est consignée par un compte rendu de travail qui porte la mention « Académie française ». En 1635, les statuts de l'Académie sont publiés par une lettre patente précisant sa mission, signée du roi Louis XIII : élaborer des règles grammaticales strictes, veiller au respect et à la pureté du français pour qu'il soit compris par tous, l'enrichir et établir des normes pour la critique des œuvres littéraires. Le premier dictionnaire de l'Académie est publié en 1694.

99
Descartes

On dit que les Français sont « cartésiens ». C'est au cours de ses voyages en Hollande, en Allemagne et en Suède où il rencontre des physiciens et des mathématiciens comme Beeckman, que naît l'œuvre de René Descartes (1596-1650), fondement de la pensée moderne. Le *Discours de la méthode* qu'il publie en 1637 est la concrétisation de ce rêve d'« une science universelle qui puisse

élever notre âme à son plus haut degré de perfection». Dans cet ouvrage, Descartes rompt avec la scolastique enseignée jusque-là, fondée sur l'érudition plus que sur l'observation et la compréhension de la nature. Il propose de séparer les obstacles que la pensée rencontre pour mieux les résoudre méthodiquement, du plus simple au plus complexe, avant de vérifier par dénombrement et revue qu'il n'y a pas d'oubli pour être «assuré d'user en tout de sa raison».
Cette méthodologie constitue une révolution intellectuelle pour la pensée scientifique, déjà bouleversée par le procès de Galilée en 1633. En outre, le *Discours de la méthode* est le modèle de ce qu'on appellera désormais l'«esprit français». En 1641, Descartes formule une révélation essentielle : «Je pense, donc je suis.» Par cette phrase d'apparence banale, il balaye croyances et préjugés.

100

François Rabelais	*Pantagruel*
Michel de Montaigne	*Les Essais*
Madame de Sévigné	*Lettres*
Jean de La Fontaine	*Fables*
Molière	*L'Avare*
Pierre Corneille	*Le Cid*
Voltaire	*Micromégas*
Jean-Jacques Rousseau	*Le Contrat social*
Honoré de Balzac	*Le Père Goriot*

Stendhal	***La Chartreuse de Parme***
Gustave Flaubert	***Madame Bovary***
Victor Hugo	***Les Misérables***
Émile Zola	***L'Assommoir***
Marcel Proust	***À la recherche du temps perdu***
Jean-Paul Sartre	***Les Mains sales***
Albert Camus	***La Peste***

La France passe en Europe pour être le pays des Belles Lettres et du beau parler. Cette tradition littéraire française remonte au Moyen Âge avec la chanson de geste et la littérature courtoise, et se renforce avec l'humanisme et le renouvellement des formes et des thèmes d'écriture. Au XVIe siècle, outre François Rabelais, le groupe de La Pléiade, autour de Pierre Ronsard et de Joachim du Bellay, développe la langue française à partir de la culture gréco-romaine. La monarchie contribue à la qualité des Lettres françaises au XVIIe siècle, avec la fondation par Richelieu de l'Académie française en 1635, et avec Louis XIV, protecteur des arts, qui protège et « nourrit » Molière, Racine, Corneille et La Fontaine.
C'est au XVIIIe siècle que les Lettres françaises triomphent en Europe avec les Lumières. Voltaire, Diderot et Rousseau portent la pensée à un niveau encore jamais atteint au nom de l'Homme et de son libre arbitre, en formulant une critique profonde de la société d'Ancien Régime et de l'absolutisme royal. Le XIXe siècle est celui de l'apogée

avec quantité d'écoles, d'auteurs et de chefs-d'œuvre en théâtre, en poésie (Musset, Baudelaire, Verlaine, etc.) et en œuvres romanesques avec un chef de file qui traverse le siècle : Victor Hugo (1802-1885). Trois grands courants se dégagent au cours de ce siècle particulièrement fécond : le romantisme, avec Chateaubriand et Hugo, le réalisme avec Balzac, Stendhal, Sue, Lamartine et Flaubert, enfin le naturalisme avec Zola.
Au XXe siècle, les écrivains français sont profondément inspirés par les révolutions de leur temps, aussi bien sur le plan politique que social, moral ou artistique. Trois grands courants marquent le siècle de leur empreinte : le surréalisme d'abord, avec André Breton ou Robert Desnos, puis l'existentialisme avec Jean-Paul Sartre, enfin le Nouveau Roman, initié par Alain Robbe-Grillet.

101
Le prix Nobel de littérature

Les prix Nobel sont le fruit de la volonté testamentaire du chimiste suédois Alfred Nobel (1833-1896), l'inventeur de la dynamite, qui légua son immense fortune à une fondation. Depuis 1901, au mois d'octobre, les prix Nobel récompensent chaque année une personnalité vivante ayant œuvré pour la paix dans le monde, un médecin, un chimiste, un physicien, un économiste (depuis 1968 avec la Banque de Suède) et un écrivain. La cérémonie de remise des prix se déroule le 10 décembre, jour anniversaire de la mort du généreux donateur. Selon le testament de Nobel, l'œuvre de l'écrivain élu doit avoir « fait la preuve d'un puissant idéal ». La sélection des postulants est faite par cinq des membres de l'Académie royale de Suède nommés pour trois ans et s'étend à tous les champs d'écriture (roman, poésie, philosophie, etc.).

La longue liste des lauréats français démontre la qualité de la production littéraire française, même si on notera des grands « oublis », au premier rang desquels Marcel Proust. Un nom est remarquable dans cette liste, celui de Jean-Paul Sartre, qui obtient le prix en 1964 mais le refuse pour « des raisons personnelles et des raisons objectives ». Voici un extrait de la lettre qu'il envoya à l'Académie suédoise : « Le seul combat actuellement possible sur le front de la culture est celui pour la coexistence pacifique des deux cultures, celle de l'Est et celle de l'Ouest. [...] Mes sympathies vont indéniablement au socialisme et à ce qu'on appelle le bloc de l'Est, mais je suis né et j'ai été élevé dans une famille bourgeoise. [...] C'est pourquoi je ne peux accepter aucune distinction distribuée par les hautes instances culturelles, pas plus à l'Est qu'à l'Ouest, même si je comprends fort bien leur existence. » Avant Sartre, Boris Pasternak, auteur du *Docteur Jivago*, fut contraint de décliner le Nobel de littérature en 1958, par décision du gouvernement soviétique.

102
«À la bonne franquette»

«Ne mettez pas les petits plats dans les grands, on viendra à la bonne franquette, ce sera à la fortune du pot!» Cette sentence typiquement française confère à l'expression un sens d'usage assez différent du sens étymologique qui, si l'on en croit le dictionnaire Littré, fait du mot «franquette» un diminutif de l'adjectif «franc». Dès lors, en voulant signifier que l'on ne veut pas déranger ses hôtes et se faire le plus discret possible, on leur assène à l'inverse que l'on viendra chez eux «en toute franchise».
«À la va-comme-je-te-pousse» signifie en désordre, n'importe comment, sans idée directrice.
«À bon entendeur, salut!» est un avertissement que l'on adresse à son interlocuteur en guise de menace, et qui coupe court à toute discussion. Ici, le mot «entendeur» doit être considéré dans son acception ancienne du XVIIIe siècle, c'est-à-dire le substantif tiré du verbe entendre qui signifie «comprendre». Quant au salut, il s'agit ici de sauvegarde, et non de salutation.

103
«Le dindon de la farce»

Par son excellence, la cuisine française se retrouve naturellement dans nombre de locutions populaires.

• « Aux petits oignons » signifie préparé avec soin, patience, minutie, comme un plat mijoté dans lequel on ajoute quelques savoureux oignons nouveaux pour en relever la saveur.

• « Comme un coq en pâte » signifie bien traité, confortablement, avec attention, comme un coq que l'on transporte dans un panier pour le vendre au marché et dont on enduit le plumage d'une pâte destinée à lui donner du lustre, pour en tirer le meilleur prix. Les Allemands disent *wie der Hahn im Korb*, « comme un coq dans le panier ».

• « Le dindon de la farce » signifie être trompé, dupé. L'expression date peut-être des farces du Moyen Âge, ces intermèdes comiques qui égayaient les spectacles, et dont le père Dindon était un personnage qui se faisait duper par ses enfants. À moins qu'elle n'ait pour origine un divertissement du XVIIIe siècle lors duquel on plaçait des dindons sur un plaque de métal que l'on chauffait, obligeant les pauvres volatiles à « danser » pour éviter de se brûler les pattes, à la grande joie d'un public alors bien cruel.

104
Merde

Le 18 juin 1815, après une brillante campagne militaire de trois jours, la Grande Armée de Napoléon est écrasée par les Anglais, auxquels se sont joints les Prussiens, à Waterloo, en Belgique. Le désastre est total et conduira l'empereur à une seconde abdication et à l'exil à Sainte-Hélène. Pierre Cambronne (1770-1842) est général major commandant le 1er régiment de chasseurs de la Garde impériale, l'élite de la Grande Armée, formée de vétérans distingués pour leur bravoure, fidèles jusqu'à la mort à la personne de Napoléon. Au soir de la bataille, dans un crépuscule apocalyptique que Victor Hugo dépeindra magnifiquement dans *Les Misérables*, les survivants de la Garde se forment en carrés pour résister aux assauts des Alliés et protéger la retraite du reste de l'armée française. Ils sont décimés par les sabres et la mitraille des canons qui les fauchent à bout portant. Au centre d'un de ces carrés héroïques, Cambronne commande le feu à ses troupes, stoïques et disciplinées face à la mort. Un officier anglais leur propose de se rendre ; la réponse de Cambronne fuse, sublime : « Merde ! La Garde meurt mais ne se rend pas. » Voilà pour la légende, sans doute trop belle pour être vraie…

Sous la Restauration, ayant survécu à ses blessures, le héros célébré par tous les Français niera énergiquement avoir prononcé le fameux mot. Le général Michel, commandant un autre régiment de la Garde, le revendique mais sans succès, allant jusqu'au procès pour en obtenir la glorieuse paternité. Victor Hugo écrira : « Cambronne à Waterloo a enterré le Premier Empire dans un mot où est né le Second. » En 1936, Sacha Guitry écrira *Le Mot de Cambronne* et jouera le rôle d'un Cambronne en quête d'honorabilité, niant avec agacement avoir prononcé ce « merde » retentissant. Comble de l'ironie, le général épousa une Écossaise en 1819.

105
Le pinard

Les tranchées de la Première Guerre mondiale ont été le cadre d'un brassage social des Français sans précédent. L'agriculteur souffrait et mourait à côté de l'instituteur ou du fonctionnaire des impôts, ses camarades poilus. Naturellement, un langage spécifique s'y développa. Souffrant ensemble, on se parlait la même langue, inconnue des autres. Nombre de ces mots de poilus ont survécu à la guerre pour passer dans l'argot, et même la langue courante. Ainsi, le caoua est le café, comme l'appelaient alors les tirailleurs algériens, le barda est le sac avec l'équipement et les affaires personnelles (qui pesait environ vingt-cinq à trente kilos !) et le pinard est le gros rouge que l'on distribuait à loisir à la troupe pour qu'elle oublie ses épreuves. Le mot date d'avant la guerre et vient du cépage pinot, courant en Bourgogne. Il permettait aux Bourguignons de distinguer le vin du « petit vin » fait avec le raisin des vignes jeunes et qui servait à la consommation courante.

106
Au bistrot

Le lupanar est une maison close. Le mot vient du latin *lupa*, la « louve », comme on appelait les prostituées dans la cité antique.
Le bistrot est un café en langage populaire. C'est sur son zinc ou en salle que l'on prend un petit noir, un café ou un blanc sec, c'est-à-dire un vin blanc nature, sans ajout de liqueur, et servi bien frais. Le mot « bistrot » date de l'entrée dans Paris des armées du tsar Alexandre Ier, au printemps 1814. Assoiffés, les cosaques s'installaient dans les cafés parisiens en réclamant à boire par geste et en s'écriant *bistro*, ce qui, en russe, veut dire « vite ». Outre bistrot, les mots populaires abondent pour désigner un café : mastroquet, troquet, rade, zinc...
La guitoune est un abri de fortune ou une tente. Ce mot vient de l'argot des tranchées de 1914-1918 et est un dérivé du mot marocain *gayton*, qui désigne une toile.

107
Amour
Orgue
Délice

Ainsi, on se souviendra en bon français « du délice de notre premier amour, en écoutant un orgue », ou « des merveilleuses délices de nos premières amours en écoutant de belles orgues ». En réalité, le mot « orgue » ne change de genre que s'il désigne de façon emphatique un instrument identifié : on parlera des « belles orgues de Notre-Dame », mais « des orgues les plus intéressants du siècle dernier ». La langue française fourmille ainsi d'exceptions et de singularités plus ou moins explicables :

• Le verbe « aller » change de racine en même temps qu'il passe au pluriel de l'indicatif (« je vais, nous allons »), puis à nouveau selon les temps de l'indicatif (« il ira, nous allâmes »).

• Le mot « cuivre » change de sens selon qu'il est employé au singulier (on désigne ainsi le métal) ou au pluriel (ce sont des instruments de musique).

• Les noms communs employés comme adjectifs pour désigner des couleurs sont invariables : « des chemises jaune paille, des murs ocre, des ficelles marron », etc.

• Deuxième et second sont équivalents : la distinction que certains grammairiens ont voulu instaurer pour justifier le doublon, et qui veut que « deuxième » soit utilisé plutôt que « second » quand la série comporte plus de deux éléments, est abusive et n'est pas imposée par l'usage, ni par aucun auteur.

• Avec l'entrée des femmes dans la vie active dans la deuxième moitié du XXe siècle, la « pharmacienne » n'est plus la « femme du pharmacien » mais celle qui exerce ce métier. Mais comme souvent on se marie avec un conjoint rencontré lors de ses études, il se trouve que, bien souvent, la femme du pharmacien est aussi pharmacienne !

108
Le prix Louis-Delluc

La France, pays des Belles Lettres, peut bien s'offrir cette coquetterie : en 1982, l'écrivain Roger Peyrefitte estimait à plus de 2 000 le nombre de prix littéraires attribués chaque année en France, soit près de sept par jour ! La plupart sont honorifiques et il s'en crée comme il en disparaît plusieurs dizaines chaque année ! Dans cette interminable liste digne d'un inventaire à la Prévert qui distingue écrits et écrivains dans un nombre invraisemblable de catégories, on ne retiendra ici que les extrêmes :

• Le plus ancien : le prix de l'Académie française, décerné au nom du donateur fils de général d'Empire par les membres de l'illustre maison, créé en 1834 dans le domaine des publications historiques pour « récompenser les morceaux les plus éloquents » (prix Gobert). Depuis

1911, l'Académie attribue en son nom propre un prix de Littérature.

• Le plus prestigieux : indéniablement le prix Goncourt en raison de la qualité des membres de son jury, doté d'une récompense insignifiante de quelques euros mais dont la notoriété assure généralement à l'auteur (et à son éditeur) des ventes considérables.

• Le prix Louis-Delluc récompense le meilleur film de l'année en hommage à Louis Delluc (1890-1924), le premier journaliste français spécialisé dans le cinéma.

Arts, patrimoine

109
Lascaux

Découvertes en septembre 1940, les peintures de la grotte de Lascaux, exécutées il y a environ 20000 ans, représentent la première page de l'histoire universelle de l'art. Même si la raison d'être de ces peintures continue à tourmenter les spécialistes qui n'ont toujours pas réussi à pénétrer le langage et les intentions des artistes de Lascaux, ces fresques nous font néanmoins comprendre à quel point leurs auteurs étaient proches de nous et sensibles à la beauté. Pour s'éclairer, les peintres se servaient de bougies rudimentaires faites de graisse animale et de lichen pour les mèches. Et pendant des jours, ils traçaient des signes étranges et des centaines de figures : chevaux, bisons, aurochs, cerfs, mammouths, bœufs, ours et félins. Cet art animalier manifeste l'expression d'une union profonde entre les chasseurs et les animaux sauvages. Sur toutes les peintures, les flèches transpercent les flancs des chevaux et des bisons, comme si représenter le gibier convoité était censé assurer le succès de la chasse.

110
Le Gard

Avec sa triple rangée d'arches qui culmine à plus de 50 mètres au-dessus du cours du Gardon, le pont du Gard est le plus élevé des aqueducs antiques. Il est classé depuis 1986 au patrimoine mondial de l'UNESCO. Édifié dans la seconde moitié du Ier siècle après J.-C., sous le règne de l'empereur Claude, cet ouvrage d'art spectaculaire témoigne de la science des ingénieurs romains. Ainsi, particularité unique dans l'Antiquité, chaque voûte est constituée de trois voûtes accolées, ce qui permet à l'ensemble de s'adapter aux légers mouvements et tassements inévitables sur le long terme. Le plus étonnant est que le pont du Gard, comme de nombreux aqueducs, n'avait d'autre fonction que celle d'affirmer la supériorité de la civilisation romaine. Dans ses *Confessions*, Rousseau, qui le visite, écrit : « On se demande quelle force a transporté ces pierres énormes si loin de toute carrière et a réuni les bras de tant de milliers d'hommes en un lieu où il n'en habite aucun. Je parcourus les trois étages de ce superbe édifice que le respect m'empêchait presque d'oser fouler sous mes pieds [...] Le retentissement de mes pas sous ces immenses voûtes me faisait entendre la voix de ceux qui les avaient bâties. Je me perdais comme un insecte dans cette immensité. Je sentais, tout en me faisant petit, je ne sais quoi qui m'élevait l'âme et je me disais : Que ne suis-je romain ! »

111
Le Mont-Saint-Michel

Îlot situé au cœur d'une immense baie envahie par les plus grandes marées d'Europe, le Mont-Saint-Michel situé dans la région de Basse-Normandie se présente comme un site naturel exceptionnel qui a très tôt inspiré aux hommes recueillement et prière. Les Gaulois l'appellaient *Mons vel Tumba Belini*, c'est-à-dire « Mont de la tombe de Belenos », dieu du soleil. Au milieu du VIe siècle, des ermites s'y installent et dressent deux oratoires dédiés aux martyrs Étienne et Symphorien. En 708, Aubert, l'évêque d'Avranches, voit en songe l'archange Michel, chef des milices célestes, qui lui ordonne de bâtir une église sur l'îlot. Elle est consacrée le 16 octobre 709. Le mont prend alors le nom de « mont Saint-Michel au péril de la mer ». En 966, le duc de Normandie, Rollon, petit-fils d'un Viking, y établit une communauté de bénédictins. En 1212, Philippe Auguste fait un don considérable pour la reconstruction de l'abbaye dévastée par un incendie. La nouvelle abbaye est constituée par l'église abbatiale et l'ensemble comptant le cloître, le réfectoire, l'aumônerie et une salle des Hôtes. Effondré en 1421, le chœur roman de l'église abbatiale est remplacé par un chœur gothique flamboyant. Pendant plus de mille ans, le Mont est le but d'un des pèlerinages les plus importants avec ceux de Rome et de Saint-Jacques-de-Compostelle, les pèlerins venant, par des routes appelées « chemin de paradis », chercher l'assurance de l'éternité auprès de l'Archange du jugement et peseur des âmes. Inscrit au patrimoine mondial de l'UNESCO en 1979, le Mont reçoit aujourd'hui plus de 3 millions de visiteurs par an.

112

A Strasbourg B Amiens C Albi D Paris E Chartres

En latin, le mot *cathedra* désigne un siège à dossier ; une cathédrale est l'église où siège l'évêque à la tête d'un diocèse. Aux XIIe et XIIIe siècles, quatre-vingts cathédrales sont construites en Europe. La dimension et la splendeur du monument sont le reflet de la puissance financière épiscopale, mais également de la force de la foi dans cette Europe médiévale.

• La cathédrale Sainte-Cécile d'Albi, édifiée de 1282 à 1480, est l'un des plus grands monuments en brique du monde.

• Notre-Dame d'Amiens, édifiée de 1220 à 1288, est la plus grande cathédrale de France : longue de 145 mètres et avec une voûte surplombant la nef de 42,30 mètres, elle est l'un des plus purs chefs-d'œuvre de l'art gothique.

• Notre-Dame de Chartres, rebâtie au XIIIe siècle après un incendie, abrite le voile de la Vierge Marie. Ses 176 remarquables vitraux constituent le plus bel ensemble et le mieux conservé à ce jour de l'art des maîtres verriers du Moyen Âge.

• Notre-Dame de Paris, édifiée de 1163 à 1370, fut longtemps la plus grande cathédrale d'Europe et constitue le plus bel exemple d'architecture gothique avec ses croisées d'ogives et ses arcs-boutants. Elle inspira à Victor Hugo un des chefs-d'œuvre de la littérature du XIXe siècle (*Notre-Dame de Paris*).

• Notre-Dame de Strasbourg, édifiée de 1176 à 1439, est la deuxième cathédrale la plus haute de France (après celle de Rouen), avec son unique tour culminant à 142 mètres (69 mètres pour les tours de Notre-Dame de Paris). Bâtie en grès rose des Vosges, elle présente un ensemble statuaire unique en Europe.

113
La Joconde

Peinte entre 1503 et 1506 par Léonard de Vinci, *La Joconde*, qui représente en buste une jeune femme qui s'appelait Mona Lisa del Giocondo, fait partie des joyaux exposés au musée du Louvre. Acquis par François Ier au moment où il fait venir Léonard de Vinci à Amboise, le tableau est installé à Fontainebleau puis au Louvre, alors résidence royale, enfin à Versailles où Louis XIV l'expose dans le Cabinet du Roi. En 1798, il regagne le Louvre devenu musée, mais est à nouveau déplacé par le Premier consul Bonaparte qui le fait accrocher dans les appartements de Joséphine au palais des Tuileries. En 1804, il revient au Louvre.
Volé le 21 août 1911 par l'Italien Vincenzo Perugia, un vitrier qui avait participé aux travaux de mise sous verre des tableaux les plus importants du musée, elle est retrouvée en 1913. Entre le 27 septembre 1938 et le 17 juin 1945,

elle voyagea dix fois, cachée dans une caisse à double paroi, identifiée par le seul matricule « MNLP n° 0 ».
Reçue aux États-Unis par le président Kennedy en janvier 1963 où elle est admirée au Metropolitan Museum of Art de New York par 1,7 million de visiteurs, elle fait encore deux autres voyages, en Russie et au Japon en 1974. Depuis mars 2005, *La Joconde*, protégée par une vitre blindée, présente son célèbre sourire énigmatique dans une salle du musée rénovée et spécialement aménagée pour la recevoir.
Depuis toujours, cette œuvre d'art, peut-être la plus célèbre du monde, a fasciné les millions de personnes qui l'ont admirée et a inspiré de nombreux artistes, tels Salvador Dali qui l'affubla d'une moustache et Marcel Duchamp, d'une pipe.

114
Chambord

François Ier (1515-1547) a découvert les splendeurs de la Renaissance lors des guerres d'Italie. De retour en France auréolé de gloire, il décide de faire construire le château de ses rêves « à l'italienne », au cœur de la forêt de Chambord où il aime chasser, près de Blois.
Le plan de Chambord est celui d'un château fort, avec un donjon central composé de quatre tours. L'art italien est présent dans de nombreux ornements : la forêt de cheminées et de tourelles finement ouvragées qui ornent la terrasse

supérieure, les larges fenêtres à meneaux aux frontons finement ouvragés et l'escalier central à double révolution, où l'on se croise sans se voir, sans doute inspiré de croquis de Léonard de Vinci. Moins artistique mais plus pratique, la grande innovation de Chambord est l'aménagement de latrines reliées à des fosses d'aisance fermées. Le château de Chambord est délaissé à la mort de François Ier. Les travaux seront achevés sous le règne de Louis XIV.

115
Le Louvre

Bâtie autour d'un puissant donjon à la sortie occidentale de Paris sous le règne de Philippe Auguste, à la fin du XIIe siècle, la forteresse du Louvre est une pièce maîtresse des fortifications qui protègent Paris. À l'autre extrémité de la ville, sur la même rive de la Seine, la Bastille joue le même rôle. Au XIVe siècle, Paris s'est agrandi et s'étend bien au-delà de l'enceinte de Philippe Auguste, si bien que le Louvre a perdu de son utilité défensive. Charles V décide d'en faire la résidence royale et confie en 1364 à l'architecte Raymond du Temple le soin d'enjoliver l'austère bâtiment et de l'agrémenter d'un jardin vers l'ouest. Deux siècles plus tard, François Ier (1515-1547) fait disparaître le Louvre médiéval dont on ne retrouvera les fondations qu'à la fin du XXe siècle, lors des travaux d'aménagement du Grand Louvre. François Ier, Henri II et leurs successeurs agran-

dissent le palais et en font l'un des plus beaux ensembles Renaissance de France. Louis XIII entreprend les travaux de la cour carrée, puis Louis XIV, malgré son attachement à Versailles, fait dresser la colonnade de Perrault. Outre Versailles, le Louvre est concurrencé par les Tuileries qui ferment sa perspective à l'ouest. Depuis Catherine de Médicis, en 1564, Henri IV, Louis XIV, Louis XVI, puis Napoléon Ier et Napoléon III préfèrent résider aux Tuileries plutôt qu'au Louvre.
À partir de 1793, le Louvre devient un musée où sont rassemblés antiquités orientales, égyptiennes, grecques, étrusques et romaines, art de l'islam, bijoux, porcelaines, mobiliers de toutes époques, 150 000 peintures et œuvres graphiques de toutes origines. Depuis les travaux colossaux entrepris sous François Mitterrand, c'est le plus grand musée du monde avec 210 000 m^2 d'expositions et plus de 7,5 millions de visiteurs par an. Vitrine de la culture française, le Louvre a signé un accord de coopération financier et culturel avec l'émirat d'Abou Dhabi pour la construction d'un musée universel et le prêt d'œuvres d'art en vue de leur exposition permanente.

116
Versailles

Louis XIV (1638-1715) n'a que cinq ans à la mort de son père. Toute sa vie, il conservera un souvenir dramatique

de son enfance, sous la régence de sa mère Anne d'Autriche et de Mazarin. C'est l'époque de la Fronde, la révolte de la noblesse contre le pouvoir royal qui s'affirme. En janvier 1649, le jeune monarque et la famille royale sont obligés de fuir le Louvre en pleine nuit pour se réfugier à Saint-Germain-en-Laye. Quand il se fait sacrer à Reims en 1654, Louis XIV a pris sa décision : il ne résidera pas au milieu de la foule parisienne et imposera à la noblesse le respect de la personne et de l'autorité royales.
Il choisit Versailles, à une quinzaine de kilomètres de Paris, où son père Louis XIII a fait construire en 1623 un rendez-vous de chasse en brique. Dès 1661, des travaux d'agrandissement sont engagés sous la direction de l'architecte Le Vau. À la mort de Le Vau en 1670, les grands appartements de la partie centrale sont terminés. Mais il ne s'agit que du début des projets royaux. Versailles doit surpasser Vaux-le-Vicomte, le château du surintendant Fouquet, ainsi que tous les palais du monde : les ailes sont construites sous la direction de Jules Hardouin-Mansart. De 1678 à 1684, la grande terrasse qui donnait sur les jardins est recouverte pour former une immense galerie de 73 mètres de long : la galerie des Glaces. La manufacture royale de Saint-Gobain façonne les miroirs les plus grands jamais réalisés qui forment dix-sept panneaux, et le peintre Le Brun est chargé de décorer le plafond à la gloire du Roi-Soleil. L'ensemble est unique au monde, destiné à impressionner tous les visiteurs étrangers qui doivent traverser la galerie avant de pouvoir rencontrer le souverain.

La galerie des Glaces sera le cadre de deux événements majeurs de l'histoire du monde. C'est dans ce cadre royal que l'Empire allemand sera proclamé par Bismarck le 18 janvier 1871. C'est également là que sera signé le traité de Versailles, le 28 juin 1919, qui organisa la paix en Europe après la Première Guerre mondiale, et scella le sort du Ier Reich.

117
Une organisation végétale géométrique

Le jardin « à la française » est l'héritier du jardin « à l'italienne » de la Renaissance. Conçu comme un prolongement extérieur de la demeure, il marque le triomphe de l'ordre végétal sur le désordre de la nature, avec un principe dominant : la symétrie. Le vocabulaire utilisé par les jardiniers français du XVIIe siècle est largement inspiré de celui des architectes. Ainsi, les pelouses sont dénommées tapis végétal, des théâtres de verdure sont reliés à des chambres végétales par des escaliers d'eau bordés de rideaux d'arbres.
André Le Nôtre (1613-1700) a réalisé à Vaux-le-Vicomte pour le surintendant Fouquet, et à Versailles, pour Louis XIV, les plus magnifiques jardins à la française. Considéré comme le maître paysager, il est sollicité par les grands du royaume et réalise aussi les jardins de Meudon pour Louvois, de Sceaux pour Colbert et de Chan-

tilly pour Condé. S'il n'a laissé aucun écrit sur son art, Le Nôtre est sans doute l'inventeur de la perspective corrigée qui consiste, par exemple, à élargir progressivement une allée ou à déformer l'alignement d'arbres afin de réduire visuellement les distances.

118
L'Arc de triomphe de l'Étoile, à Paris

François Rude (1784-1855) sculpte ce haut-relief entre 1832 et 1836 pour orner l'un des pieds-droits de l'Arc de triomphe. L'imposant monument, voulu par Napoléon à la gloire de ses armées et qu'il ne vit jamais, est dressé en haut de l'avenue des Champs-Élysées, sur la place de l'Étoile. Allégorie du départ des Volontaires de 1792, le groupe de Rude, haut de 13 mètres, est plus communément appelé *La Marseillaise.* Le génie de la Liberté, au visage farouche, entraîne les volontaires de la voix et du geste, dans un élan qui semble irrésistible. Par cette œuvre, la Nation rend hommage à ces hommes partis combattre aux frontières en 1792 à l'appel de la Convention, pour défendre la «patrie en danger». Pratiquement sans autre équipement qu'un fusil, ces citoyens de la France révolutionnaire vont affronter les armées professionnelles autrichienne et prussienne. Formés en bataillons, ils les combattent en Alsace, dans les Alpes, dans les Flandres, et les battent à Valmy, au sortir de l'Argonne, le 20 septembre 1792.

119
L'impressionnisme

Au XIXe siècle, l'Académie de peinture organise chaque année un Salon officiel. Les peintres, admis par un jury, exposent leurs œuvres et traitent de sujets imposés : portraits, scènes historiques ou mythologiques, etc. Ceux qui refusent ces règles ne sont pas exposés.
En 1873, Claude Monet installe son chevalet au Havre et peint l'avant-port : il appelle son tableau *Impression, soleil levant*. L'année suivante, Monet expose cette toile dans l'atelier du photographe Nadar à Paris avec celles d'autres artistes (Cézanne, Degas, Monet, Morisot, Pissarro, Renoir et Sisley). Tous rejettent jury, sujet imposé et récompense. Leurs toiles expriment leurs regards sur le jeu de la lumière dans des scènes simples comme les bords de l'eau, les terrasses de cafés ou les guinguettes. L'exposition fait scandale. Le 26 avril 1874 dans *Le Charivari*, le critique d'art Louis Lenoir se moque de l'exposition des « impressionnistes ». Pourtant, le mouvement est lancé et une véritable révolution picturale est en marche autour des peintres français.
L'impressionisme s'émancipe principalement en France, où la liberté de ton attire de nombreux artistes étrangers comme le britannique Alfred Sisley ou, plus tard, le Néerlandais Vincent Van Gogh. Le mouvement ouvrira la voie à des courants picturaux comme le fauvisme (avec Derain et Matisse) ou le pointillisme (avec Seurat). La révolution impressionniste marque également l'ouverture

du marché de l'art au sens moderne de l'expression, avec le marchand Paul Durand-Ruel comme promoteur auprès de la clientèle bourgeoise.

120
Pour expier les crimes de la Commune

Au lendemain de la défaite de la France face à la Prusse en 1870 et de la tragédie de la Commune, la droite, qui a gagné les élections législatives et espère pouvoir restaurer la monarchie, entreprend de rétablir l'« ordre moral ». À l'automne 1870, un notable parisien, Alexandre Legentil, prononce ce vœu qui sera repris par tous les catholiques : « En présence des malheurs qui désolent la France et des malheurs plus grands qui la menacent encore [...] Nous nous humilions devant Dieu et réunissant dans notre amour l'Église et notre Patrie, nous reconnaissons que nous avons été coupables et justement châtiés. Et pour faire amende honorable de nos péchés et obtenir de l'infinie miséricorde du Sacré-Cœur de Notre Seigneur Jésus-Christ le pardon de nos fautes ainsi que les secours extraordinaires qui peuvent seuls faire cesser les malheurs de la France, nous promettons de contribuer à l'érection à Paris d'un sanctuaire dédié au Sacré-Cœur de Jésus. »
La loi autorisant cette construction est votée le 24 juillet 1873 et la première pierre est posée le 16 juin 1875. Dix millions de fidèles apporteront près de 46 millions de

francs pour édifier cette basilique qui ne sera achevée qu'en 1914. Avec plus de 10 millions de pèlerins et visiteurs par an, c'est le second monument de France le plus visité après Notre-Dame de Paris. Totalement méprisée par les historiens de l'art, elle reste pour beaucoup une insulte permanente à la République.

121
La tour Eiffel

En 1884, à l'occasion de l'Exposition universelle qui se tiendra à Paris en 1889 pour célébrer le centenaire de la Révolution française, deux ingénieurs, Koechlin et Nouguier, qui travaillent pour l'entreprise Eiffel & Cie de Levallois, spécialisée dans les constructions métalliques et les ouvrages d'art, conçoivent « l'idée d'une tour très haute » qui en serait le clou. Koechlin dresse le croquis de la construction rêvée, un « grand pylône formé de quatre poutres en treillis écartées à la base et se rejoignant au sommet ; liées entre elles par des poutres métalliques disposées à intervalles réguliers. »
En 1886, Gustave Eiffel s'empare du projet et convainc le ministre de l'Industrie d'organiser un concours qu'il remporte en 1887, obtenant une convention qui fixe les modalités d'exploitation du bâtiment situé devant la Seine, au bout de l'esplanade du Champ-de-Mars. Rappelant la modicité de son devis, 3 155 000 francs (en

fait, il reviendra à deux fois et demi ce prix), il souligne que son ouvrage « symbolisera non seulement l'art de l'Ingénieur moderne, mais aussi le siècle de l'Industrie et de la Science dans lequel nous vivons, et dont les voies ont été préparées par le grand mouvement scientifique de la fin du XVIIIe siècle et par la Révolution de 1789, à laquelle ce monument serait élevé comme un témoignage de la reconnaissance de la France ». En deux ans et deux mois, la tour de 10 000 tonnes, haute à l'origine de 300 mètres, est érigée par 250 ouvriers.
Méprisée par les artistes qui évoquent un « squelette de beffroi » ou une « maigre pyramide d'échelle de fer », elle attire, du 15 mai au 16 novembre 1889, 1 955 122 visiteurs, soit une moyenne de 11 800 visiteurs par jour. Battue en 1870 par la Prusse, amputée de ses deux provinces alsacienne et lorraine, la France dresse avec la Tour un monument qui prouve son avance technologique et symbolise son rôle de phare des nations. Destinée à être démontée en 1909, elle reste en place et demeure aujourd'hui le monument payant le plus visité au monde.

122
Les frères Lumière

Les frères Auguste et Louis Lumière ont déposé leur brevet le 13 février 1895 et réalisent le premier film de l'histoire du cinématographe probablement en mars 1895. Ils filment à dix-huit images par seconde la sortie des ouvriers de leur usine de plaques photographiques, rue Saint-Victor, à Lyon. Ce film est projeté devant des spectateurs ébahis le 22 mars, dans les locaux de la Société d'encouragement à l'industrie nationale. Les Lumière ont perfectionné et combiné plusieurs techniques mises au point par d'autres inventeurs, comme Thomas Edison. Ils tournent pendant l'été une deuxième version de la même scène : elle dure 45 secondes et sera présentée au public. La première séance de projection publique a lieu au Salon indien du Grand Café de Paris, le 28 décembre 1895. Dix films en noir et blanc, muets (le son n'apparaîtra qu'à la fin des années 1920 aux États-Unis) sont au programme, dont la première fiction : *L'Arroseur arrosé.* Georges Méliès assiste à cette première payante; il réalisera les premiers trucages de ce qui va devenir le «septième art».

123

Georges Méliès	***Le Voyage dans la lune***
Marcel Carné	***Les Enfants du paradis***
Jean Renoir	***La Grande Illusion***
Marcel Pagnol	***La Fille du puisatier***
Jean-Pierre Melville	***L'Armée des ombres***
Jacques Tati	***Mon oncle***
François Truffaut	***Les Quatre Cents Coups***
Éric Rohmer	***Ma nuit chez Maud***
Louis Malle	***Ascenseur pour l'échafaud***
Alain Resnais	***Hiroshima mon amour***
Bertrand Blier	***Les Valseuses***
Jean-Jacques Beineix	***Diva***

124

Auguste Rodin (1840-1917), *Le Penseur*

Quand Auguste Rodin réalisa en 1877 *L'Âge d'airain* et l'exposa, il provoqua un scandale. Les critiques l'accusèrent d'avoir fait un moulage sur un modèle vivant, tant la vie exhalait de ce bronze de jeune homme grandeur nature. L'art de Rodin a révolutionné la sculpture par son travail de la matière et par la liberté accordée aux formes expressives. La position du *Penseur* (1882) est déséquilibrée, comme si la profondeur de sa pensée lui faisait oublier son propre corps. En même temps, la base sur

laquelle il est assis est à peine dégrossie, offrant un contraste saisissant entre l'expressivité du personnage et l'inertie brute du bloc minéral dont il semble jaillir.
De nombreuses œuvres de Rodin choquèrent ses contemporains et ses commanditaires. Ainsi, la puissante statue d'Honoré de Balzac fut refusée par la Société des gens de lettres qui l'avait commandée à la fin du XIXe siècle et ne fut exposée boulevard Raspail, à Paris, qu'en 1939.

125
Georges Pompidou

Le Centre national d'art et de culture Georges-Pompidou est situé au cœur de Paris, dans le quartier Beaubourg. En 2006, 6,6 millions de visiteurs sont venus contempler les richesses de ce musée-centre d'expositions, le plus important au monde pour l'art contemporain après le MOMA de New York. Georges Pompidou (1911-1974) concrétise avec cet équipement le rêve d'un musée du XXe siècle voulu par André Malraux afin de redonner à Paris une place de premier rang mondial dans le domaine de l'art. Mais le président veut aussi un musée capable d'attirer un public populaire ; il fait inscrire dans les statuts que l'entrée des expositions permanentes sera gratuite et y intègre en 1970 le grand projet de bibliothèque publique. Il déclare en 1972 : « Je voudrais passionnément que Paris possède un centre culturel [...] qui soit à la fois

un musée et un centre de création, où les arts plastiques voisineraient avec la musique, le cinéma, les livres, la recherche audiovisuelle, etc. »
En 1972, l'incroyable projet architectural de Renzo Piano et de Richard Rogers est retenu : il vaudra au Centre les surnoms parisiens de « Notre-Dame des tuyauteries » ou de « raffinerie ». Tous les éléments fonctionnels dissimulés dans l'architecture traditionnelle sont ici mis à jour : canalisations, gaines techniques, escaliers mécaniques confèrent à l'ensemble un air d'avant-garde. Au projet culturel s'ajoute une opération d'urbanisme : l'ensemble du quartier est rénové, orienté vers le musée et la vaste esplanade piétonne qui s'étend devant lui.
Georges Pompidou ne vit jamais son rêve achevé puisqu'il mourut en avril 1974 et que le Centre Beaubourg, comme il est communément appelé, fut inauguré en janvier 1977 par son successeur à la présidence de la République, Valéry Giscard d'Estaing.

126

Jean-Baptiste Lully	***Cadmus et Hermione***
Jean-Philippe Rameau	***Castor et Pollux***
Georges Bizet	***Carmen***
Jacques Offenbach	***La Vie parisienne***
Hector Berlioz	***La Symphonie fantastique***
Maurice Ravel	***Boléro***
Claude Debussy	***Pelléas et Mélisande***

Camille Saint-Saëns	***Le Carnaval des animaux***
Erik Satie	***Gnossiennes***
Pierre Boulez	***Dialogue de l'ombre double***

Des ballets de Lully composés pour divertir Louis XIV à la création de l'IRCAM (Institut de recherche et coordination acoustique/musique) par Pierre Boulez en 1969, l'histoire nous montre que les Français ont aussi de l'oreille. Et que les compositeurs français sont souvent à l'avant-garde de la création musicale : par exemple, le célébrissime *Boléro* de Ravel, créé en 1928, consiste en un seul thème rythmique marqué à cent soixante-neuf reprises par la caisse claire ; c'est aujourd'hui l'une des œuvres musicales les plus souvent interprétées dans le monde. S'il n'est pas aisé de définir l'identité propre de la musique « française », il existe un trait commun à la plupart de ces compositeurs : l'audace.

Sports, loisirs, coutumes

127
Roland Garros (1888-1918)

Comme de nombreux jeunes gens de cette époque pionnière, Roland Garros est passionné de sports mécaniques, en particulier d'automobile. Il découvre l'aviation par hasard en 1909. Aussitôt, il réunit ses économies et s'achète un avion qu'il apprend à piloter seul, car il n'y a pas encore d'écoles de pilotage. À vingt-deux ans, Roland Garros s'engage dans le cirque Moisant qui sillonne les États-Unis pour des exhibitions aériennes. De retour en

France, il bat le premier record d'altitude lors du meeting de Cancale, avec 3 950 mètres. Le 23 septembre 1913, Garros réussit la traversée de la Méditerranée entre Fréjus et Bizerte, en 7 heures et 53 minutes. C'est la gloire. Engagé volontaire en août 1914, son avion est abattu et il est fait prisonnier en 1915. Il s'évade en janvier 1918, reprend les commandes d'un avion et est tué le 2 octobre 1918 : il comptait quatre victoires aériennes, lui qui considérait l'aviation comme un sport plutôt que comme une arme.
Après la guerre, son nom fut donné au stade de la porte d'Auteuil. Alors qu'il ne fut jamais qu'un piètre joueur de tennis amateur, il voit désormais son nom attaché à l'un des quatre principaux tournois de tennis international.

128

Maurice Chevalier	***Ma pomme* (1936)**
Charles Trenet	***La Mer* (1946)**
Édith Piaf	***Non, je ne regrette rien* (1960)**
Georges Brassens	***Les Copains d'abord* (1964)**
Johnny Hallyday	***Ma gueule* (1979)**

De Mistinguett à Maurice Chevalier, de la môme Piaf à Charles Trenet, de Tino Rossi à Yves Montand, de Léo Ferré à Jacques Brel, « le plus Belge des Français », la « chanson française » n'a cessé de populariser des airs et des refrains célèbres qui, le plus souvent, donnent l'image d'une France souriante où *Y'a de la joie* cohabite avec *Faut rigoler*! Même Johnny, «l'idole des jeunes» devenue icône nationale, incarne à sa manière cette culture qui, depuis l'ouvrier jusqu'au président de la République, enrichit le carnet de chant des Français.

129
Astérix chez les Vandales

Créée il y a cinquante ans par René Goscinny (scénario) et Albert Uderzo (dessins puis, à partir de 1980, scénario et dessins), *Astérix le Gaulois* est certainement la bande dessinée qui a connu le plus de succès, avec 325 millions d'albums vendus dans le monde en cinquante ans. Elle commence par cette phrase qui va en assurer le triomphe : «Nous sommes en 50 avant Jésus-Christ; toute la Gaule est occupée par les Romains… Toute? Non! Car un village peuplé d'irréductibles Gaulois résiste encore et toujours à l'envahisseur. Et la vie n'est pas facile pour les garnisons de légionnaires romains retranchés de Babaorum, Aquarium et Petitbonum.»
Le succès de cette série repose sur le fait qu'Astérix et Obélix sont présentés comme des caricatures de leurs descendants d'aujourd'hui, les Français. L'humour repose aussi en grande partie sur les stéréotypes des différents peuples que nos irréductibles Gaulois sont amenés à rencontrer : les Bretons, les Goths, les Belges, les Corses, les

Helvètes, les Normands, les Grecs, les Égyptiens et bien sûr les Romains. Truffée de jeux de mots, renvoyant à des questions de société contemporaine (la circulation à Paris, les concerts pop, les excès du capitalisme, la marchandisation des Jeux olympiques, etc.), cette bande dessinée a certainement contribué plus que tout à familiariser les Français de tous âges avec l'histoire de l'Antiquité romaine !

130
Le Tour de France

Le Tour est le grand rendez-vous de juillet des Français et les scandales du dopage n'y ont rien changé. Chaque année, la télévision bat des records d'audience et des millions de spectateurs se massent le long des routes pour voir passer les coureurs et les encourager. Certaines étapes sont devenues mythiques : la montée de l'Alpe d'Huez, le Ventoux, le Galibier sont entrés dans la légende du sport. Tout a commencé en 1903.
La bicyclette avec entraînement par chaîne et pneumatiques Dunlop est au point depuis 1888. Facile à fabriquer, d'un faible coût, elle devient le moyen de locomotion favori des catégories populaires. C'est l'époque de la démocratisation de la pratique sportive, jusqu'alors réservée aux élites. En 1891, deux courses cyclistes d'endurance sont organisées : Bordeaux – Paris

et Paris – Brest. L'engouement populaire est formidable. En 1900, Henri Desgranges fonde un journal au papier jaune, *L'Auto*, ancêtre de *L'Équipe*, entièrement consacré aux sports mécaniques. Dans le numéro du 19 janvier 1903, Desgranges annonce l'organisation d'une grande course cycliste : le Tour de France, avec six étapes en boucle de 2428 kilomètres : Paris – Lyon – Marseille – Toulouse – Bordeaux – Nantes – Paris. Soixante concurrents sont au départ le 1er juillet 1903 à Montgeron. Il n'y a ni équipes ni assistance technique : le coureur doit se débrouiller seul pour manger, réparer, se loger... Ils sont vingt et un à l'arrivée ; Maurice Garin gagne avec trois heures d'avance sur le deuxième. Il touche les 3000 francs promis au vainqueur (soit 10800 euros aujourd'hui).

131

Just Fontaine 1958
Michel Platini 1984
Zinedine Zidane 1998

En 1958, lors de la sixième Coupe du monde de football organisée en Suède, l'équipe de France est éliminée en demi-finale sur le score de 5-2 par le Brésil, futur vainqueur du trophée. Pendant la compétition, Just Fontaine, avant-centre de l'équipe de Reims, inscrit 13 buts en six rencontres, dont 4 contre la RFA (victoire 6-3) en match

pour la troisième place. Il demeure à ce jour le meilleur buteur de l'épreuve ; seul le Brésilien Ronaldo a marqué plus de buts que lui en Coupe du monde (15), mais en trois compétitions.
En 1984, l'équipe de France emmenée par Michel Platini, mythique n° 10 de la Juventus de Turin, remporte le Championnat d'Europe des nations organisé en France par une victoire 2-0 sur l'Espagne. Platini a marqué 9 buts en cinq matchs et amplement contribué à l'obtention du premier trophée de la France en football.
Le 12 juillet 1998 au Stade de France, l'équipe « Black-Blanc-Beur » du sélectionneur Aimé Jacquet remporte la finale de la Coupe du monde de football contre le Brésil, sur le score sans appel de 3-0. Zinedine Zidane, meneur de l'équipe, marque deux des trois buts de la victoire française. Dans la nuit, la liesse populaire est inouïe : on ne saura jamais s'il y avait un ou deux millions de personnes (peut-être même plus !) sur les Champs-Élysées pour hurler : « Zizou président. »

132
La pétanque

Les jeux de boules sont l'un des loisirs les plus anciens puisqu'on en trouve trace dans l'Égypte des pharaons et dans la Grèce antique. Si le principe est toujours le même, qui consiste à faire preuve d'adresse et de précision pour

lancer sa boule au plus près d'un but matérialisé de diverses façons, il existe de nombreuses variantes régionales. En France, on retiendra la lyonnaise (avec des boules de un kilo), la bretonne (aux boules en bois), la boule de fort angevine (aux boules de bois asymétriques et cerclées de fer) et la boule de sable des bords de Loire (avec une seule boule par joueur), la boule du Nord (au terrain clos circulaire), la longue ou encore la pétanque en Provence.
La pétanque est sans conteste le jeu le plus pratiqué en France et, s'il existe une fédération sportive, c'est avant tout un loisir. Le nom vient de l'association de deux mots provençaux : *pès* (les «pieds») et *tanco* («joints»). En effet, si l'on peut prendre de l'élan pour lancer ses boules, on doit les lâcher les deux pieds joints au sol. Gageons que, sur les boulodromes, nombre de praticiens du dimanche ignorent ce principe sportif de base !

133

Fernandel	***Le Petit Monde de Don Camillo***
Jean Gabin	***Quai des brumes***
Arletty	***Les Enfants du paradis***
Bourvil	***Le Corniaud***
Louis de Funès	***Le Gendarme de Saint-Tropez***
Brigitte Bardot	***Et Dieu créa la femme***
Lino Ventura	***Les Tontons flingueurs***
Alain Delon	***Le Guépard***

Gérard Depardieu	***Les Valseuses***
Catherine Deneuve	***Les Parapluies de Cherbourg***

Sur le plan économique, le cinéma est ce que l'on appelle une « exception française ». Près de 80 millions de spectateurs dans le monde ont regardé un film français en 2008, dont près de 18 millions d'Américains. Le film *Bienvenue chez les Ch'tis*, qui a comptabilisé plus de 20 millions d'entrées en France et qui, par son sujet même, semble difficilement exportable, a été vu par 4 millions de spectateurs à l'étranger. Il n'est pas d'autre exemple en Europe d'une telle réussite.

134
Le béret

Le béret est la coiffure traditionnelle des bergers des Pyrénées, des Landes (où on l'appelle « bounet »), du Béarn ou de Gascogne. Tricoté en laine, il est fabriqué industriellement depuis la première moitié du XIXe siècle et est associé au Pays basque, à l'initiative de Napoléon III en visite à Biarritz. Par sa laine serrée, il est l'accessoire idéal pour se protéger de la pluie et pour tenir les crânes dégarnis au chaud. Sa couleur varie selon les régions, mais le béret noir est le plus répandu. Dans l'armée, la couleur du béret est distinctive des régiments : les bérets verts du 3e régiment de parachutistes coloniaux du colonel Bigeard sont ainsi restés tristement célèbres à Alger. On se souvient de quelques bérets célèbres : celui de Michèle Morgan embrassant Jean Gabin dans *Quai des brumes*, celui d'Ernesto Guevara reproduit avec le Che sur des millions de posters et de T-shirts, celui d'Auguste Rodin, etc.

135
Les charentaises

La plus confortable des pantoufles date du XVIIe siècle. Elle était fabriquée à partir des chutes de feutre récupérées dans les moulins à papier disséminés le long du cours de la Charente, sous forme de semelles que l'on glissait l'hiver dans les sabots en bois. La marine royale de Rochefort en fut équipée. C'est seulement en 1907 que les charentaises furent munies de semelles rigides, à l'initiative du docteur Jeva qui investit dans une usine et en lança la commercialisation. On les appelait alors les « silencieuses ». Les charentaises sont associées à l'idée de confort douillet, de chaleur et, indirectement, à la critique acerbe d'une vie sédentaire, sans risques ni entreprises : tout le contraire de leur histoire.

136
Jean-Baptiste Pigalle (1714-1785)

L'œuvre la plus connue de Pigalle est sans doute le groupe de bénitiers de l'église Saint-Sulpice, à Paris. Son nom a été donné à une rue où le sculpteur avait son atelier, et à une place au bout de cette rue. Ce quartier situé au pied de la butte Montmartre est mondialement connu, car le patronyme de Pigalle est devenu synonyme de « quartier chaud ». C'est à Pigalle que l'on rencontre les « petites femmes » chantées par Serge Lama dans les cabarets où touristes et bourgeois venaient se divertir et s'encanailler (Le Moulin Rouge, L'Élysée Montmartre, etc.). C'est à Pigalle que l'ex-bagnard Marcel Lisbonne inventa en 1885 une nouvelle forme de spectacle qui devait connaître un grand succès : le striptease. À Pigalle se joue le théâtre d'un Paris nocturne à l'ambiance troublante. Nul artiste n'a rendu aussi bien cette atmosphère que Jean-Pierre Melville, dans un film envoûtant : *Le Doulos* (1962). En argot parisien, un « doulos » est un indicateur de police. Car Pigalle est aussi le quartier de la pègre, des bars louches, des trafics en tous genres, des tripots clandestins, des souteneurs, des caïds, des règlements de compte, etc. Lieu fascinant où se côtoient le divertissement et le drame, le plaisir et l'interdit, Pigalle est fréquenté chaque année par des millions de touristes.

137
La galanterie

Se présentant comme un ensemble de manières développées par un homme en vue de faciliter les déplacements ou les mouvements d'une femme, la galanterie apparaît au cours de l'histoire comme une caractéristique de la civilisation française. Héritée de l'esprit courtois qui se développe à partir du XIIe siècle dans les cours comme celle d'Aliénor d'Aquitaine, où il s'agit de faire honte aux pratiques brutales de certains hommes, puis de l'influence des salons du XVIIe siècle, comme celui de Madame de Scudéry, où se réunissent, sous l'égide d'une grande dame, les écrivains et les artistes, elle apparaît comme l'art d'un juste milieu entre le machisme méditerranéen et l'indifférence nordique.

Malgré une perte de vitesse pendant les années fastes du féminisme, elle semble aujourd'hui revenir à la mode dans les pratiques courantes de séduction. Ainsi, 55 % des femmes considèrent la galanterie comme une marque de respect à leur égard, 41 % comme une marque de séduction et 4 % seulement comme un archaïsme. À noter que Jean-Jacques Rousseau s'indignait de voir les Français, du fait de leur galanterie, accorder tant d'importance à l'esprit et au jugement des femmes !

138
Bienvenue chez les Ch'tis

Sorti sur les écrans le 20 février 2008, *Bienvenue chez les Ch'tis*, à la grande surprise des protagonistes, a enregistré 20,5 millions d'entrées, dépassant le record détenu jusque-là par *La Grande Vadrouille*. Dans le grand « bazar mondial » où ne pourraient survivre, prétend-on, que des produits basiques standardisés, ce film révèle en fait la force et l'atout d'une identité maîtrisée et nous invite à ne jamais sombrer dans le fatalisme.
Il y a trente ans, le Nord-Pas-de-Calais pouvait être considéré comme définitivement sinistré. L'abandon de la production charbonnière, suivi de la crise du textile et de la sidérurgie, semblait avoir scellé le sort d'une région qui avait perdu la moitié de ses effectifs industriels et où le chômage chronique se conjuguait à l'extrême pauvreté. Or, grâce à la solidarité et à l'identité qui font de *Bienvenue chez les Ch'tis* une sorte de contre-modèle au parisianisme compassionnel, la région n'a pas sombré. Mieux, elle a su rebondir. Autant célébrer cette France des « petites nations » qui savent cultiver leur singularité pour mieux s'ouvrir aux autres…

139
Le Moulin Rouge

Construit en 1899 par Joseph Oller et Charles Zidler qui possédaient déjà l'Olympia, le Moulin Rouge, surnommé par ses propriétaires « le premier palais des femmes », est devenu la figure de proue du *french cancan* illustrée par la célèbre Goulue. Seule figure marquante masculine dans cet univers de femmes canailles : Valentin le Désossé. Toulouse-Lautrec, fidèle parmi les fidèles, réalisera dix-sept toiles sur ce cabaret qui attire aujourd'hui chaque année plus de 50 000 touristes chinois !

Gastronomie

140
montrachet
musigny

Deux bourgognes figurent parmi ces vins du Bordelais : le musigny est l'un des grands crus de la Côte de Nuits, et le montrachet, l'un des grands crus de la Côte de Beaune, l'un des plus grands vins blancs du monde.
Bordeaux ou bourgogne ? Peugeot ou Citroën ? Johnny Hallyday ou Eddy Mitchell ? Les Français sont ainsi, aimant s'opposer sur des sujets anodins lors de débats

passionnés… L'anecdote du Bordelais Jean Lacouture goûtant un verre de bourgogne lors de l'émission *Apostrophe* de Bernard Pivot est célèbre, mais trop belle pour ne pas être rappelée. Lacouture dégusta un nectar à l'aveugle puis, lorsqu'il lui fut révélé qu'il s'agissait d'un bourgogne, eut cette phrase : « Du bourgogne, vraiment ? Je ne connaissais pas. C'est excellent, mais je préfère quand même le vin ! » Ce trait d'humour en dit long sur ce qui sépare ces deux appellations prestigieuses. Au-delà du monocépage bourguignon, à base de pinot noir pour les vins rouges et de chardonnay pour les blancs, et des vins d'assemblage de plusieurs cépages pour les bordeaux, ce sont deux cultures de la France qui s'affirment. Un livre entier ne suffirait pas à décrire cette opposition sociétale. La Bourgogne, profondément rurale, aux « climats » (c'est ainsi qu'on dénomme une appellation) parfois minuscules (le Montrachet fait 8 hectares) divisés entre de multiples propriétaires (ils sont dix-huit à Montrachet), et où la vigne a été implantée par les moines au Moyen Âge. Le Bordelais, où la vigne est l'affaire d'une aristocratie bourgeoise d'exploitants et de négociants, aux « châteaux » (c'est le nom des propriétés) de plusieurs hectares classés selon leur qualité, pour les médocs et les graves, depuis l'Exposition universelle de 1855, et où la vigne a été implantée par les Romains à la fin de l'Antiquité.

Quel que soit le verdict gustatif de chacun, il n'en demeure pas moins que la France produit les vins les plus réputés du monde. Aux bordeaux et aux bourgognes, ajoutons aux places d'honneur les vins de Loire, les côtes-du-rhône, le champagne, les vins d'Alsace, ainsi que tous les autres vignobles du Sud-Ouest, de Corse, de Provence, du Jura, du Languedoc et de Savoie qui magnifient l'image de notre pays dans le monde et contribuent aux performances de sa balance commerciale ! À elles seules, les exportations de « vins, alcools et spiritueux » représentent chaque année l'équivalent de 147 Airbus A320.

141
Kir

Le kir est l'un des apéritifs favoris des Français, à tel point que l'on croit que l'ajout de crème de cassis à du vin blanc est une tradition qui remonte à la nuit des temps. Il n'en est rien.
La famille de Félix Kir (1876-1968) quitte l'Alsace occupée par l'Allemagne en 1870 pour s'installer en Bourgogne. En 1940, alors qu'il est entré dans les ordres et est devenu chanoine de Dijon, Kir est nommé à la tête de la municipalité pour remplacer le maire de la ville qui a fui devant les armées allemandes. Il profite de sa position pour faire évader des milliers de prisonniers de guerre français regroupés au camp de Longvic. Il est arrêté et démis de ses fonctions. Sans entrer dans la Résistance, Kir s'oppose par tous les

moyens aux autorités occupantes et au régime de Vichy. Peu avant la Libération, il est victime d'un attentat de Français à la solde de la Gestapo. Le chanoine Kir est élu maire de Dijon en 1945 et sera réélu à quatre reprises, restant maire de la ville jusqu'à sa mort. C'est lui qui instaura la tradition de servir du vin blanc-cassis lors des réceptions officielles de la municipalité.
La recette fit le tour de la France. Le vrai kir est constitué d'un fond de crème de cassis de Dijon additionné d'un bourgogne aligoté bien frais. Mais chaque région a son vin blanc et sa façon d'accommoder le kir. Accolé au nom de ce grand républicain, l'adjectif « royal » désigne un kir au vin de champagne.

142
Le beaujolais nouveau

Le vin nouveau du Beaujolais est commercialisé dès la fin de la vinification. Celle-ci est réalisée par macération carbonique, c'est-à-dire par éclatement (et non pressage) des grains de gamay noir à jus blanc placés avec les rafles dans une cuve hermétiquement fermée, saturée de dioxyde de carbone. Le résultat est un vin léger, un peu acidulé et parfumé, qui ne se garde pas et se boit facilement.
Un arrêté ministériel du 8 septembre 1951 interdit la commercialisation des vins d'appellation d'origine avant

le 15 décembre. Devant les protestations des viticulteurs, une note parut le 13 novembre 1951 pour préciser dans quelles conditions certains vins pouvaient être mis en vente dès cette date : c'est l'acte de naissance du beaujolais nouveau. Mais l'homme qui a fait le beaujolais nouveau est Georges Dubœuf (né en 1933), négociant éleveur surnommé le «roi du Beaujolais». Avec lui, le fleuve beaujolais, dont on dit qu'avec la Saône et le Rhône il arrose Lyon, a débordé de son lit pour inonder la France d'abord, le monde entier ensuite. D'abord fixé au 15 novembre, la date arrêtée depuis 1985 est le troisième jeudi du mois. Le mercredi soir, à minuit précises, la commercialisation commence… au Japon d'abord, en raison du décalage horaire. Les Français suivent huit heures plus tard, les Américains sont servis en dernier.

143
Le champagne

Dom Pérignon (1639-1715) est un moine bénédictin, cellérier et intendant de l'abbaye Saint-Pierre d'Hautvillers, dans la Marne. La charge qu'il occupe est essentielle pour la communauté religieuse qui vit du commerce du vin blanc de Champagne. Dom Pérignon s'en acquitte avec passion et talent. Ainsi, en 1668, il a l'idée d'assembler des raisins de différentes provenances pour équilibrer le goût du vin. En outre, il sélectionne les plus belles

récoltes et réalise des cuvées qu'il équilibre en fonction des caractéristiques des années et des terroirs.
Mais Dom Pérignon produit toujours un champagne « tranquille », sans bulles. La légende veut qu'il passe à la postérité en découvrant la méthode champenoise qui permet de faire mousser le vin. Comme souvent, c'est le hasard qui permit la découverte. Voulant remplacer le tissu huilé avec lequel on entourait le broquelet de bois qui fermait les bouteilles, il coula de la cire. Le vin fermenta et les bouteilles hermétiquement fermées explosèrent. Dom Pérignon en tira parti en remplaçant le broquelet de bois par un bouchon en liège, maintenu par un corselet de chanvre. Le champagne mousseux, d'abord réservé à l'aristocratie fortunée, se démocratise peu à peu à partir du XIXe siècle. C'est aujourd'hui le vin des mariages, des victoires de formule 1, des lancements de bateaux, le parfait symbole de la fête.

144
45 degrés

Le pastis est l'apéritif favori de la France du Sud. Cette boisson fortement alcoolisée est tirée de la macération de fenouil (d'où vient l'anis) et de réglisse. Elle se déguste additionnée d'eau et frappée de glaçons, dans des proportions qui varient selon chaque consommateur. En réalité, il n'est de pastis qu'à Marseille ; ailleurs en France,

on prend de l'anisette. On trouve des boissons similaires dans le pourtour méditerranéen : le *raki* en Turquie, l'*arak* au Liban ou encore l'*aguardiente* en Espagne. Dans l'Antiquité, les Romains dégustaient le *vinum silatum* à base de fenouil et d'absinthe.
Le mot « pastis », mot provençal qui signifie « mélange », apparaît en 1932 avec Paul Ricard (1909-1997) qui popularise l'apéritif dans l'ensemble de la France en améliorant la formule de base, en associant de la badiane (ou anis étoilé), de l'anis vert et de la réglisse.

145
La baguette

La baguette représente 75 % des ventes de pain en France. Depuis le haut Moyen Âge, le pain constitue la base de l'alimentation des Français. En 1705, Louis Lemery écrit dans son *Traité des aliments* : « Nous ne mangeons presque rien sans pain ; sans lui, la plupart de nos viandes nous donneraient le dégoût. »
La baguette de 250 grammes apparaît au début du XXe siècle à Paris. Une surface de croûte importante satisfait le goût des citadins, alors que les paysans apprécient la mie et « chapellent » (ôtent) la croûte de leurs gros pains quand elle devient trop dure. Avec l'exode rural et la diversification de l'alimentation, la consommation de pain s'effondre. Selon les statistiques de la Confédération

nationale de la boulangerie-pâtisserie, les Français, qui consommaient 900 grammes de pain par jour en 1900, n'en mangeaient plus que 325 grammes/jour en 1950 et 153 grammes/jour en 2000. Pourtant, aujourd'hui encore, 81 % de nos compatriotes mangent du pain au moins une fois par jour.

146

banon	**Provence**
camembert	**Normandie**
époisses	**Bourgogne**
saint-nectaire	**Auvergne**
cancoillotte	**Franche-Comté**
munster	**Alsace**
beaufort	**Savoie**
maroilles	**Nord**
roquefort	**Midi-Pyrénées**

« Comment voulez-vous gouverner un pays où il existe 258 variétés de fromage ? » Nul ne sait d'où le général de Gaulle tira ce nombre d'une précision sans appel, mais l'on peut affirmer avec certitude qu'il existe, à ce jour, 44 fromages français bénéficiant de l'appellation d'origine contrôlée (AOC) et, selon certains organismes professionnels de l'alimentation, plus de 600 variétés, sans même tenir compte des fromages industriels. Nulle autre production, mise à part celle des vins, ne reflète la diversité et la richesse des terroirs de France que cette façon de conserver le lait. Dans la liste proposée, le banon est un fromage de chèvre et le roquefort un fromage de brebis ; tous les autres sont fabriqués avec du lait de vache.

147
Le jambon-beurre

La demi-baguette de pain tranchée en deux dans le sens de la longueur, tartinée de beurre et agrémentée d'une tranche de jambon, est le déjeuner économique et rapide des ouvriers comme des cadres, mais aussi l'incontournable pilier des pique-niques en famille. Le jambon-beurre est le repas le plus consommé en France puisqu'on estime que les cafetiers en vendent 830 millions par an (c'est-à-dire 2,2 millions par jour !), loin devant le « sec beurre au saucisson ». Chaque année, les Français achètent chez des professionnels de la restauration et consomment en tout 1,8 milliard de sandwichs, dont 65 % sont préparés avec de la baguette et 28 % avec du pain de mie.
Cas unique au monde, la France est le seul pays où le hamburger n'a pas détrôné une préparation indigène, pas plus que le kebab qui est surclassé avec à peine 250 millions d'unités consommées par an.

148
Les cuisses de grenouille

Les cuisses de grenouille sont particulièrement appréciées en Alsace, à Lyon, en Provence et dans le Poitou. En anglais, *frog* veut dire « grenouille ». Nos amis Britanniques nous appellent *froggies* en raison de la présence sur la carte de certains restaurants de ce plat qui les dégoûte pour deux raisons : le batracien d'abord, culturellement jugé immangeable par les Anglo-Saxons, la présence d'ail dans la plupart des recettes ensuite, incompatible avec les papilles des sujets de Sa Gracieuse Majesté. Il en est de même, et pour les mêmes raisons, des escargots. On ne peut pourtant pas dire que les Français mangent des cuisses de grenouille tous les jours, ni qu'ils sont les seuls à le faire, puisque les Italiens, les Allemands et les Suisses les accommodent aussi ! N'en voulons pas trop à nos voisins d'outre-Manche que nous appelons communément « rosbifs ». Car si chaque peuple a sa façon de mépriser les autres, le sobriquet n'est certainement pas la pire.

149
Le steak frites

Un grand classique de la cuisine de bistrot et familiale, typiquement française. D'origine étrangère ? Peut-être pas. Si la viande ne pose pas question, tant il est admis que la découpe du beefsteak est bien une invention anglaise, selon Austin De Croze, gastronome et homme de lettres du début du XXe siècle, les frites sont « avec les gâteaux, le boudin et les saucisses chaudes [...] le premier mets “cuisiné” qui ait été vendu dans les rues de Paris », et cela dès la Révolution où l'on en trouve chez les marchands ambulants installés sur le Pont-Neuf, à Paris. Les Français les appellent alors les « pommes pont-neuf », dénomination qui sera réservée ultérieurement à des frites coupées en gros bâtonnets. Un seul bain de cuisson pour obtenir des frites croustillantes, à la différence des nombreuses autres recettes nationales qui accommodent les pommes de terre en friture : pommes sautées, pommes gaufrettes, pommes soufflées, pommes Dauphine, etc.

Pour éviter tout scandale avec nos amis de Belgique, appelons un arbitre pour trancher un éventuel différend sur la nationalité des frites : les Anglais les appellent *french fries*!

150
Le cassoulet

Le cassoulet que nous connaissons est l'héritier de l'*estoffat* du Moyen Âge, un ragoût composé à base de fèves dans lequel on glissait un morceau de lard les jours gras, cité dans l'un des plus anciens traités culinaires français connus : *Le Viandier* de Taillevent (XIVe siècle). Depuis, les haricots blancs ont remplacé les fèves, et la viande a occupé une place plus importante. Il a fallu pour cela que les haricots soient introduits en Europe au XVIe siècle par les *conquistadores* espagnols, en provenance des Amériques. En Languedoc et dans le Midi, il existe autant de recettes de cassoulet que de villes, pour ne pas dire de familles… Outre l'origine géographique des haricots, la présence ou non de tomates, d'oignons, de céleri ou de carottes, ce sont les viandes qui les différencient. À Castelnaudary, où l'on revendique haut et fort l'invention de la recette, on met de la viande de porc (de la longe, du jambon, du jarret, du saucisson et de la couenne de lard). À Toulouse, qui dispute à Castelnaudary le titre de capitale du cassoulet, on met la même chose en ajoutant du confit de canard (ou d'oie), de la saucisse de Toulouse et souvent du mouton. À Carcassonne, le gigot et, pendant la période de chasse, la perdrix remplacent le porc. À Comminges, le mouton domine, mais avec de la couenne de porc.

Le principe de la recette est de laisser mijoter longuement les haricots sur le coin du fourneau, et d'ajouter la viande une fois qu'ils sont fondants. L'ustensile de cuisine utilisé est la cassole, une petite marmite de terre cuite fabriquée à Issel, dans l'Aude, depuis le XIVe siècle, qui a donné son nom au plat. Typique du Midi de la France, le cassoulet est aussi présent sous d'autres noms de l'autre côté des Pyrénées : la *fabada* des Asturies, le *faves ofegades* de Catalogne. En franchissant l'Atlantique, on pourra citer également le *feijoada* brésilien, aux haricots noirs complétés de riz et de viande de porc.

Table

Du même auteur

L'Oréal. 1909-2009, Perrin, 2009.

L'Argent des Français. Les chiffres et les mythes, Perrin, 2009.

Les 100 dates qui ont fait la France (avec Jean-Rémi Clausse), Omnibus, 2008.

Les bons chiffres pour ne pas voter nul en 2007, Perrin, 2007.

100 monuments pour raconter l'histoire de France (avec Julie Noësser), Aubanel, 2007.

Du bon usage de la guerre civile en France, Perrin, 2006.

« Françaises, Français », le goût de vivre, 1944-1968 (en collaboration avec Janine Niepce), Imprimerie nationale, 2005.

La Guerre des deux France, Perrin, 2004. Prix Jean Fourastié, 2005.

Les 100 dates de la France en guerre, 1939-1945 (avec Régis Bénichi), Perrin, 2004.

Les Wendel, 1704-2004, Perrin, 2004.

Le Grand Gaspillage, Plon, 2002.

Nouvelle histoire de France, Perrin, 1999.

Empire colonial et capitalisme français. Histoire d'un divorce, Albin Michel, 1984 ; réédition Albin Michel 2005. Prix des Ambassadeurs, 2005.

L'Âge d'or de la France coloniale, Albin Michel, 1986.

La France travaille trop, Albin Michel, 1989.

Principe maquette : Claire Fay

Composition : Nord Compo

Impression : Normandie Roto Impression s.a.s., janvier 2010
Éditions Albin Michel
22, rue Huyghens, 75014 Paris
www.albin-michel.fr

ISBN 978-2-226-20603-9
N° d'édition : 19087/01 – N° d'impression : 10-0207
Dépôt légal : février 2010
Imprimé en France